Klee

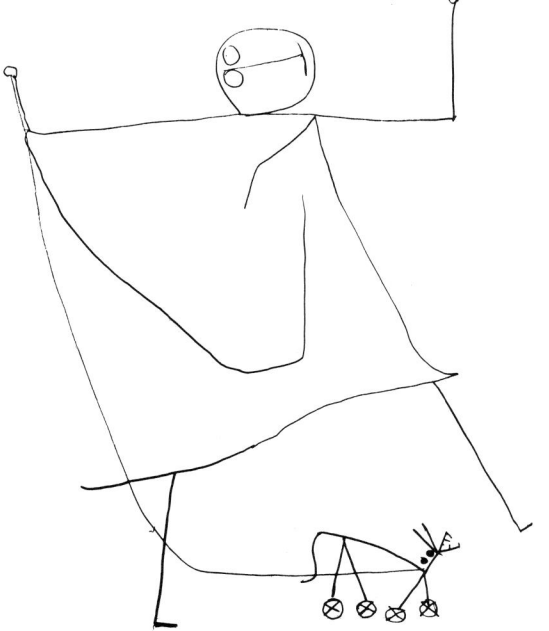

D1264762

Susanna Partsch

PAUL KLEE
1879–1940

Benedikt Taschen

COUVERTURE:
Prince noir (détail), 1927, L 4 (24)
Schwarzer Fürst (Prinz)
Huile et détrempe sur toile;
cadre original, 33 × 29 cm
Düsseldorf, Kunstsammlung
Nordrhein-Westfalen

REPRODUCTION PAGE 1:
enfant à nouveau, 1939, NN 10 (750)
wieder kindisch
Crayon, castor sur papier brouillon, 27 × 21,4 cm
Berne, Kunstmuseum Bern, Fondation Paul Klee

REPRODUCTION PAGE 2:
*Scène de bataille de l'opéra fantastique
«Le navigateur»,* 1923, 123
Kampfszene aus der komisch-phantastischen
Oper «Der Seefahrer»
Aquarelle, 37 × 51 cm
Suisse, Collection privée

DOS DE COUVERTURE:
Paul Klee, Munich 1911

**Ce livre a été imprimé sur du papier exempt
de chlore à 100% suivant la norme TCF.**

© 1993 Benedikt Taschen Verlag GmbH
Hohenzollernring 53, D–50672 Köln
© 1993 VG Bild-Kunst, Bonn, pour les illustrations
Traduction française: Geneviève Lohr
Couverture: Angelika Muthesius, Cologne
Composition: Utesch Satztechnik GmbH, Hambourg

Printed in Germany
ISBN 3-8228-0510-6
F

Sommaire

6

Peintre ou musicien

14

L'homme au foyer – du dessinateur au peintre

22

Le voyage à Tunis

30

La première guerre mondiale

46

Bauhaus et Düsseldorf. Conflit et solution

72

«Rayé des listes»

92

Commentaire de tableau: Révolution du viaduc

94

Paul Klee 1879–1940: sa vie

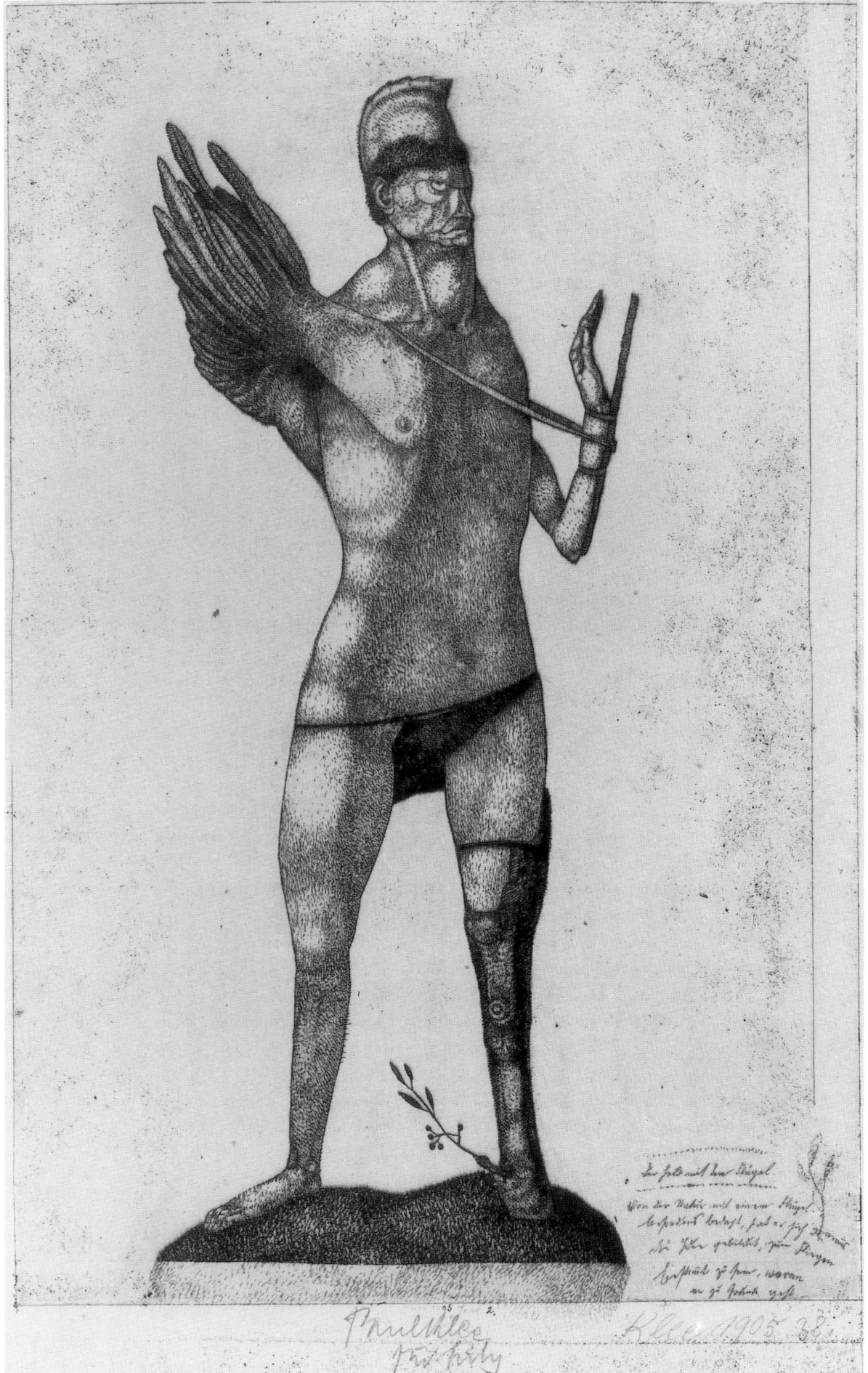

Peintre ou musicien

«Ici-bas je ne suis guère saisissable car j'habite aussi bien chez les morts que chez ceux qui ne sont pas nés encore, un peu plus proche de la création qu'il n'est habituel, bien loin d'en être jamais assez proche. Est-ce qu'il émane de moi de la chaleur? De la froideur? Il est impossible d'en débattre sans passion. C'est quand je suis le plus loin que je suis le plus pieux. Il m'arrive d'être ici-bas quelque peu malicieux. Ce sont-là des nuances pour une seule et même chose. Mais les curés ne sont pas suffisamment pieux pour le voir. Et ces savants-là en prennent un peu ombrage»[1].

Ces quelques lignes de Klee caractérisent à la fois l'homme et l'artiste tel qu'il souhaitait, lui, être perçu et l'on peut dire qu'elles constituent en quelque sorte son manifeste.

Paul Klee s'efforçait effectivement de donner de lui une image qui lui convint. Le journal qu'il tint de 1897 à 1918, y compris la dernière partie écrite pendant la guerre entre 1916 et 1918, et qui contient pour l'essentiel des copies des lettres à sa femme, fut rédigé avec l'intention d'être publié. L'un des passages (Journal 900)[2] s'adresse même directement au lecteur; et, dès 1920, Klee confiait des extraits de ses journaux à ses premiers biographes.

Le texte évoqué plus haut a toujours été, à tort, cité comme un extrait de son journal. Or, il parut initialement dans le catalogue de sa première grande exposition, chez le directeur de galerie Goltz à Munich; il fut cité ensuite dans la première monographie de Klee par Leopold Zahn. Klee fut ainsi très vite perçu par le public ainsi que lui-même souhaitait l'être et tel que, probablement, il se percevait lui-même.

Son second biographe, l'historien d'art Will Grohmann, ami de Klee et dont la grande monographie parut en 1954 seulement[3], décrit l'artiste et son œuvre sans le moindre recul critique. L'image de Klee ainsi établie fut, par la suite, simplement reprise et c'est au milieu des années 70 seulement, grâce à Jürgen Glaesemer et Christian Geelhaar, que l'étude de Klee entra dans une nouvelle ère; on put alors appréhender de façon plus objective l'œuvre du peintre[4]. Geelhaar surtout, avec son édition critique des œuvres, ouvrit la voie à une analyse différente de l'œuvre et de la vie de Klee.

Le premier à s'attacher ensuite à cette tâche fut Otto Karl Werck-meister, historien d'art allemand installé aux Etats-Unis. Ses recherches sur Klee, qui prenaient en compte le contexte politique et social dans lequel il avait vécu, parurent à partir de 1976, dans plusieurs essais. Les écrits concernant la période comprise entre 1914 et 1920 ont été, de-

Autoportrait, 1899, 1
Selbstbildnis
Dessin au crayon sur papier, 13,7 x 11,4 cm
Berne, Collection Felix Klee

Le héros à l'aile, 1905, 38
Der Held mit dem Flügel
Eau-forte, 25,4 x 15,7 cm
Munich, Städtische Galerie im Lenbachhaus

Portrait de mon père, 1906, 23
Bildnis meines Vaters
Dessin à l'encre de Chine sous verre,
32 x 29 cm
Berne, Collection Felix Klee

«Le sujet en soi est certainement mort. C'est la sensibilité au sujet qui passe au premier plan. La prépondérance des sujets érotiques n'est pas un phénomène exclusivement français, mais dénote plutôt une prédilection pour tout ce qui flatte particulièrement la sensibilité. La forme extérieure devient de ce fait, particulièrement variable et se meut sur toute la gamme des tempéraments. Selon la souplesse de l'index, pourrait – on dire en l'occurrence. En fonction de quoi les moyens techniques de représentation varient. L'école du genre «vieux maîtres» est certainement liquidée.»

Paul Klee. Journal, juillet 1905

un musicien – interprète fidèle à la tradition. En tant que peintre créateur au contraire, il se montrait radical. La musique et la peinture – même si l'on a souvent prétendu l'inverse à propos de sa recherche personnelle –, n'avaient pas à ses yeux la même importance. Le choix de son métier fut probablement dû aussi à son désir de créer et à la conviction qu'il avait de n'y réussir que dans les arts plastiques et non dans la musique.

Tant qu'il fut écolier, Klee avait surtout dessiné. Dans les livres et les cahiers qui nous sont parvenus, on trouve d'innombrables caricatures. Il passa son baccalauréat en septembre 1898 et partit en octobre à Munich pour étudier à l'Académie des beaux-arts. Mais le directeur refusa de l'inscrire et lui conseilla d'entrer à l'école de dessin privée de Heinrich Knirr (1862–1944) pour y étudier le dessin figuratif. Ses parents furent déçus. Ils avaient acheté une maison et il leur était difficile d'aider financièrement leur fils au-delà de ce qu'ils avaient initialement prévu.

Dans ses lettres, Klee évoquait le prix excessif de sa chambre mais indiquait déjà le 21 octobre, tout juste deux jours après avoir commencé à suivre des cours chez Knirr, qu'il valait sans doute mieux y rester deux ans avant d'entrer à l'Académie des beaux-arts et pouvoir alors immédiatement étudier auprès de Franz von Stuck. Il dut, pour mener à bien ce projet, vaincre bien des réticences chez ses parents.

Si l'on en croit les lettres qu'il leur adressait[9], la vie de Klee à Munich était faite d'études chez Knirr et chez lui, de concerts, de soirées à l'opéra et au théâtre et de soirées musicales privées. Il ne savait pas exactement dans quelles dépenses disparaissait son argent, pour lequel il rendait régulièrement des comptes. Dans son journal par contre, il est à cette époque question de recherche de soi, de misère sexuelle et de nuits de beuverie. «(. . .) d'autres choses, des questions vitales, se firent plus importantes que la gloire au sein de l'école de Knirr. Parfois aussi je m'esquivais . . . Bref, il s'agissait de devenir avant tout un homme. L'art, par la suite, en tirerait matière. Et cela comprenait naturellement les rapports avec les femmes» (Journal 66). «Introspection; j'ai dit intérieurement adieu à la littérature, à la musique. Ai abandonné mes efforts pour acquérir une expérience sexuelle raffinée dans ce cas particulier. Je pense à peine aux arts plastiques, je ne veux travailler qu'à ma personnalité. Ce faisant, il me faut être conséquent, éviter la moindre audience. Qu'ensuite je trouverai sans doute mon expression dans les arts plastiques, voilà encore le plus vraisemblable. Un petit registre dépliant de toutes les femmes aimées que je ne posséderai jamais, exhorte ironiquement à repenser la grande question sexuelle» (Journal 83).

En décembre 1899, au cours d'une soirée musicale chez des amis de ses parents, il fit la connaissance de la pianiste Lily Stumpf (1876–1946). Il fit avec elle par la suite beaucoup de musique et assista à de nombreux concerts.

Il se sentait très attiré par elle mais vivait encore dans deux mondes différents. D'un côté, il continuait à pratiquer la musique comme on le faisait dans la bourgeoisie cultivée et comme son éducation le lui avait inculqué. Dans ce domaine-là, ses goûts coïncidaient avec ceux de la fille du médecin-chef Stumpf. Mais d'autre part, il passait des nuits entières à se défouler dans les cafés de Munich et entretenait des relations avec des femmes d'un milieu différent. Il y avait parmi ces femmes une vendeuse et un modèle de nu. De l'une de ces relations naquit en novembre 1900 un fils, mais qui ne vécut que quelques semaines. La vie de

Klee correspondait à cette époque encore au schéma conventionnel bourgeois qui cherche le véritable amour dans son propre milieu, le laisse mûrir lentement, et qui multiplie dans le même temps mais en d'autres lieux, les expériences sexuelles. Autant les unes, dames de la bonne société, étaient courtisées avec respect, autant les autres étaient bafouées». « . . . la créature avait parfaitement répondu à mes goûts. Cenzi (un modèle) n'exigeait nul serment d'amour, et même elle me vouvoyait. Moi, je la tutoyais et ne cessais de trouver en elle une nature égale et raisonnable. De vulgarité, nulle trace» (Journal 127).

En octobre 1900 Klee entra à l'Académie, dans la classe de Franz von Stuck (1863–1928). A la même époque y étudiait aussi Wassily Kandinsky (1866–1944). Mais ils ne se rencontrèrent pas durant cette période-là, car Klee brillait le plus souvent par son absence.

Bien qu'il écrivit à ses parents, le 22 octobre, que les critiques de Stuck étaient sévères mais spirituelles et bienveillantes, il ne s'intéressait que peu à l'enseignement qu'il dispensait. Il quitta sa classe dès mars 1901 et essaya d'entrer au cours de sculpture, tout en refusant de passer l'examen d'entrée. Il quitta alors Munich en été 1901. Avant son départ, il s'était fiancé secrètement à Lily Stumpf.

Il avait acquis, durant ces trois années, une certaine habileté en dessin et avait, de surcroît, travaillé la technique de l'eau-forte.

Mais l'accès à la peinture lui restait encore fermé. Et c'est en tant que dessinateur et non en tant que peintre qu'il rentra à Berne.

De Berne, il écrivit de longues lettres à Lily, dans lesquelles il parlait entre autres, de la relation avec ses parents. Le contenu de ses lettres est en contradiction avec les affirmations de son biographe Will Grohmann: ce dernier tenait pourtant ses informations de Klee lui-même. Il est dit ainsi que Klee souffrait de l'humour sarcastique de son père mais qu'il avait avec sa mère, une femme sensible, une relation faite de compréhension mutuelle. C'est un cliché que l'on retrouve dans nombre de biographies d'artistes depuis des siècles. Il n'en est pas moins vrai que Klee décrivait personnellement, en été 1901, la relation qui l'unissait à son père de façon très positive, («Le père, il vient en premier, je l'aime bien»), alors qu'il parlait de sa mère souffrante en termes plutôt froids. Il est à souligner à cet égard que Lily Stumpf se complut plus tard, elle aussi, dans la souffrance et que Klee, à partir d'un certain moment, critiqua cette évolution.

En octobre 1901, il entreprit avec son camarade d'études Hermann Haller, qu'il connaissait depuis l'école déjà, un voyage de plusieurs mois en Italie. Ils séjournèrent la plupart du temps à Rome. Klee étudiait les anciens maîtres, dessinait, faisait de la musique, mais il visita aussi Naples et Florence.

En mai 1902 il rentra à Berne, vécut les années qui suivirent chez ses parents et continua ses études en autodidacte. Il suivit un cours d'anatomie, assista au «cours d'anatomie plastique destiné aux artistes» et suivit les cours du soir d'étude de nu.

En juillet 1903 il commença un cycle de onze eaux-fortes, portant le titre *Inventions*, qu'il termina au printemps de 1905 (repr. p. 6, 8, 9, 13). Il fit alors un voyage de quatorze jours à Paris, au cours duquel il fit la connaissance des impressionnistes, à l'exception de Paul Cézanne (1839–1906) et des contemporains modernes comme Henri Matisse (1869–1954) ou André Derain (1880–1954). C'est à la suite de ce

Fillette à la poupée, 1905, 17
Mädchen mit Puppe
Aquarelle sur fond blanc, sous verre,
17,7 x 12,9 cm
Berne, Kunstmuseum, Fondation Paul Klee

voyage qu'il commença de nouvelles expérimentations, gravant dans des plaques de verre peintes en noir. Il utilisa cette technique pour le portrait de son père (repr. p. 10). Klee développa à partir de là sa technique du sous-verre où, davantage que la couleur, c'est le contraste clair-obscur qui importe. Dans ses cinquante-sept tableaux sous verre, Klee a essayé de combiner eau-forte et peinture. *Fillette à la poupée,* de 1905 (repr. p. 11) en est un exemple. Il décrivit dans son journal l'élaboration de ses tableaux sous verre de façon claire et concise: «Technique savante du sous-verre: 1) Recouvrir le verre d'une couche de blanc a tempera, éventuellement en pulvérisant une solution. 2) Lorsque la couche est sèche, graver le dessin à l'aide d'une aiguille. 3) Fixer. 4) Etaler au-dessous du noir ou de la couleur» (Journal 760). En juin 1906, ses Inventions figurèrent à l'exposition internationale de la Sécession à Munich. Un critique évoqua à son propos dans le journal «Berner Rundschau» «la démente anomalie des formes».

En septembre de cette année 1906, Paul Klee et Lily Stumpf se marièrent à Berne et emménagèrent, le 1er octobre, à Munich, dans un petit appartement situé dans le quartier de Schwabing. Lily donnait des cours de piano, Klee peignait et s'occupait du ménage. A Berne déjà, il avait réfléchi au partage des tâches: «Nous travaillerons tous les deux. Je ne sais pas combien de temps; je ne veux pas passer pour un bourgeois.» (Journal 757). Mais ses tentatives pour gagner de l'argent grâce à son travail et participer ainsi à l'entretien de la famille échouèrent. L'illustration qu'il devait faire pour le Simplicissimus, par exemple, fut un échec.

On a souvent insisté sur le fait que l'évolution artistique de Klee avait été très lente. Des années passées à Berne son nées essentiellement les onze *Inventions* et les peintures sous verre avec les essais de tonalité.

Ses essais de peinture à l'huile firent certes progresser sa technique mais le résultat ne l'avait pas satisfait. Dans ses lettres à Lily, Klee insistait bien sûr toujours sur la somme importante de travail fourni, mais ces lettres se composaient essentiellement des comptes-rendus de concerts auxquels il avait assisté. Klee lui-même jouait à nouveau du violon dans l'orchestre, écrivait des critiques de théâtre et de concerts pour le journal «Berner Fremdenblatt» et lisait beaucoup. Ainsi, le temps consacré à la musique sans oublier le temps passé en répétitions, équivalait au temps qu'il consacrait à sa formation artistique.

Il n'était alors pratiquement pas confronté aux courants de l'art moderne. Il faut attendre 1905 pour que, grâce au dessinateur et illustrateur Jacques Ernst Sonderegger (1882–1956), il s'intéresse à Henri de Toulouse-Lautrec (1864–1901), Edvard Munch (1863–1944) et James Ensor (1860–1949). Il est tout à fait possible que l'atmosphère familiale ait freiné son évolution artistique, mais Klee n'était pas encore prêt non plus à abandonner la musique; elle continuait à tenir chez ses parents la première place. Il s'était certes décidé pour les arts plastiques mais ne voulait pas pour autant renoncer à son autre passion. Le temps passé à faire de la musique et le handicap que constituait sa famille sont peut-être à l'origine de son épanouissement relativement tardif dans la peinture. A Munich, sa situation n'évolua pas très vite non plus. Son fils Félix lui prit ensuite le temps dont il aurait eu besoin pour progresser plus rapidement.

Phénix sénile, 1905, 36
Greiser Phönix
Eau-forte, 27,2 x 19,8 cm
Munich, Städtische Galerie im Lenbachhaus

L'homme au foyer – du dessinateur au peintre

Paul Klee et Lily Klee-Stumpf vivaient, dans leur trois pièces à Schwabing, relativement à l'écart du milieu artistique. Lily donnait des cours de piano mais ne se produisait plus en public comme les années précédentes. Il n'en est du moins plus fait mention. En novembre 1907 naquit leur fils unique Félix. Klee se chargeait en grande partie de l'éducation de leur fils et du ménage. Jusqu'en 1915, il passa régulièrement l'été à Berne avec Félix. Ces séjours se prolongeaient souvent au-delà de trois mois. Lily ne les rejoignait, la plupart du temps, que pour quelques semaines. Les lettres de Klee laissent à penser qu'il disposait à Berne de davantage de temps pour lui, car il pouvait confier Félix de temps en temps à sa sœur et à ses parents. Il est sinon essentiellement question, dans les lettres qu'il adressait de Berne à Lily, de la bonne santé et des progrès de leur fils. Son journal aussi relate les progrès de l'enfant. Durant sa première année, il tenait mois après mois un agenda dans lequel il notait le poids de l'enfant, ses premières dents, son développement moteur et les sons qu'il produisait. Il notait aussi les réflexions que ses progrès lui suggéraient. Par exemple en 1908: «. . . il dit oli-joli-joli-tageda-tagedodo, tadge-do! Y a-t-il un lien entre la poussée dentaire et l'apprentissage du langage?» (Journal 841). Lorsque, de février à mai 1909, Félix tomba gravement malade et que seule une opération réussit à le sauver, Klee nota quotidiennement dans son journal la température, les visites du médecin et les médicaments prescrits. Lorsque Félix fut complètement guéri, il écrivit: «Que pareille maladie tint toutes choses en suspens ressort de ces lignes. J'assumai totalement les soins, sauf aux pires moments où je me fis relayer de nuit par une infirmière. De même Olga Lotmar m'aida souvent, avec compétence, en tant que médecin» (Journal 855). Lily n'avait manifestement presque pas participé aux soins, elle n'est même pas évoquée dans le journal.

Avec une telle répartition des tâches, le couple Klee sortait du cadre bourgeois conventionnel. On qualifierait Klee aujourd'hui d'homme au foyer. Mais ce que l'on admet tout doucement aujourd'hui était au début du siècle encore tout à fait inhabituel. Ces années consacrées à l'éducation de l'enfant ont peut-être aussi influé sur son art. On insiste toujours sur son art «enfantin» et sur sa quête d'une tradition de l'enfance. C'est maintenant seulement que l'histoire de l'art (encore essentiellement le fait des hommes), commence progressivement à prendre en compte le rôle que ses années d'homme au foyer ont pu jouer[10]. Il n'en reste pas moins vrai en tout cas, qu'au cours de ses premières années à Munich, Klee ne progressa que très lentement.

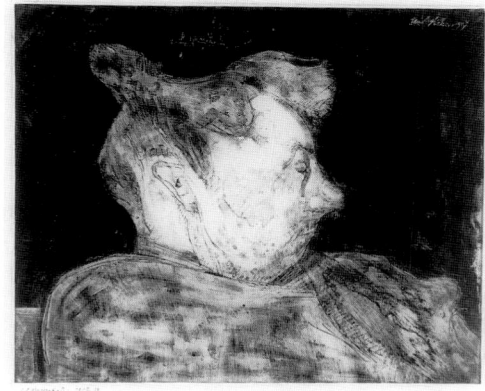

Portrait d'une femme enceinte (Lily), 1907, 19
Bildnis einer schwangeren Frau
Encre de Chine sous verre, 27 x 32 cm
Berne, Collection Felix Klee

Dans la carrière d'Ostermundingen, deux grues, 1907, 23
Im Ostermundinger Steinbruch, zwei Kräne
Fusain, dessin à la plume avec encre de Chine, aquarelle sur Ingres et carton, 63,1 x 48,6 cm
Berne, Kunstmuseum, Fondation Paul Klee

Bien sûr ses occupations domestiques lui prenaient beaucoup de temps et d'énergie. Et lorsque Lily, en automne 1910, voulut donner davantage de cours, il protesta. Le 25 octobre, il lui écrivit de Berne: «Et qui s'occupera du ménage, moi seul? Ce n'est pas possible, une demi-journée, passe encore, mais je ne peux pas y consacrer la journée entière.»

Il n'avait à cette époque pas encore connu de véritables succès. Bien sûr on avait pu voir, ici ou là dans de grandes expositions, des œuvres isolées; en 1910 eut même lieu à Berne, Zurich puis Winterthur, une exposition qui réunissait cinquante-six de ses travaux. Mais les retombées financières restèrent négligeables. Avec les quelques ventes réalisées et son activité de correcteur qu'il exerçait pour un cours du soir de nu, il ne pouvait subvenir que très partiellement aux frais du ménage.

Parallèlement à ses travaux graphiques, Klee poursuivit au cours des premières années à Munich, ses expériences sur la couleur. La forme prenait de plus en plus le pas sur le contenu. L'accent mis dans ses tableaux sous verre sur la tonalité, prit encore plus d'importance dans ses aquarelles noires. Il essayait par ailleurs, avec la peinture ton sur ton, de s'approprier la couleur. Il se mit à associer les techniques du dessin, qu'il maîtrisait, à des couleurs.

Ainsi pour le dessin à la plume *Dans la carrière d'Ostermundingen, deux grues*, de 1907, (repr. p. 14) il ne travailla pas seulement au fusain mais utilisa aussi des couleurs à l'eau. Les couleurs, des dégradés de vert, bleu et brun, sont limitées à certaines surfaces et ne se mélangent pas. Les différentes zones ne sont, par conséquent, pas seulement différenciées, formées et limitées par des lignes mais aussi par des couleurs dont le degré d'intensité diffère. On comprend ce que Klee entendait alors par tonalité.

Dans la période qui suivit, Klee s'intéressa, entre autres, aux impressionnistes. Contrairement cependant à beaucoup de ses contemporains, il n'adopta pas leur style pour le dépasser ensuite; mais il vérifia leurs principes pour les intégrer dans ses expériences sur les contrastes du clair-obscur. La lumière, instrument de toute représentation telle que la concevait les impressionnistes, n'était pas pour lui liée au problème de la couleur; Klee était plutôt préoccupé par les problèmes de la tonalité. La représentation de la lumière lui permit d'avancer dans sa recherche sur les différentes intensités et aboutit au développement de l'aquarelle noire.

Après avoir travaillé à ce problème, il se tourna à nouveau davantage vers la peinture à l'huile. Il voulait se détacher de la peinture naturaliste, vers laquelle cependant il revint toujours pour mieux s'orienter et se former. Il définit dans son journal des règles à son usage personnel et y intégra des principes restés déterminants pour son œuvre ultérieure. Son but n'était pas de représenter la réalité. La représentation devait au contraire, grâce à l'imagination et au jeu des associations suscitées, résulter plutôt des premières couches de peinture portées sur la toile. Il se souvenait qu'à neuf ans, en compagnie de son oncle dans un restaurant, il avait observé les dessins de la table de marbre jusqu'à ce qu'il y discerne des motifs. Ce jeu d'enfant avait pour Klee beaucoup d'importance. Il voulait, au moyen de la peinture, définir dans le tableau des lignes générales. L'assertion: «L'art ne reproduit pas le visible, mais rend visible», formulée en 1920 au début d'un essai, pourrait, à ce moment-là déjà, avoir été sa devise. Il se mit alors à superposer dans les œuvres en couleurs, comme il le faisait pour les aquarelles noires, les couches de peinture, pour atteindre certaines intensités de couleur. Outre des aquarelles vite réalisées naquirent alors des tableaux à l'huile comme *Femme nue* (1910, repr. p. 21).

Son œuvre graphique restait, malgré cette recherche sur la couleur, très importante. Il était encore davantage dessinateur que peintre. Il n'est pas étonnant par conséquent, que le premier contact sérieux qu'il ait eu avec un artiste ait été avec l'un des rares dessinateurs de l'époque. Il s'agit d'Alfred Kubin (1877–1959) qui, en décembre 1910, avait demandé á Klee de pouvoir se choisir l'un de ses tableaux. C'est ainsi que s'établit entre eux le contact. Kubin rendit visite à Klee en janvier et l'encouragea dans son projet d'illustration pour «Candide», le roman de Voltaire, qu'il avait lu quelques années auparavant. Klee parvint dans ces dessins au style qu'il aimait et qu'il recherchait depuis longtemps. La forme devenait pour lui déterminante. L'interprétation ne venait qu'au cours du dessin ou même n'intervenait qu'après coup. Klee eut l'occasion, au cours de l'année 1911, de nouer des contacts importants. En septembre, il fit à Berne la connaissance d'August Macke (1887–1914); à la fin de l'automne, celle de Wassily Kandinsky avec qui il était voisin depuis trois ans déjà. Il devait ces deux rencontres à son vieil ami bernois, Louis Moilliet (1880–1962), devenu peintre lui aussi. Grâce à Kandinsky, Klee fit la rencontre de quelques artistes qui, en 1909, s'étaient groupés dans la Neue Künstlervereinigung München (NKVM: «la nouvelle association d'artistes munichois»). Il y eut aussi la rencontre avec Gabriele Münter (1877–1962), alors compagne de Kandinsky, avec Alexej von Jawlensky (1864–1941) et Marianne von Werefkin (1860–1938); mais c'est surtout la rencontre avec Franz Marc (1880–1916) qui fut décisive.

Kandinsky et Marc travaillaient à la publication de l'almanach «Der blaue Reiter» (Le Cavalier bleu). Cette publication allait devenir «le lieu de rencontre des diverses aspirations alors si présentes dans tous les domaines de l'art et dont la tendance fondamentale était d'élargir les frontières actuelles de l'expression artistique»[11]. Cet almanach (dont seul le premier numéro vit le jour) est considéré aujourd'hui comme l'un des manifestes les plus importants de l'art du XXe siècle.

En décembre 1911, s'ouvrit à la galerie Thannhauser, la première exposition des rédacteurs du «Blaue Reiter», après que Kandinsky, Marc et d'autres artistes qui leur étaient proches, eurent quitté la «Neue Künstlervereinigung»; cette association tenait en effet au même moment sa grande exposition annuelle chez Thannhauser. Klee, absent des deux manifestations, écrivit une critique pour le mensuel suisse «Die Alpen», que dirigeait son ami de jeunesse Hans Bloesch (1878–1945). Il se faisait dans cette critique le défenseur convaincu de l'art «primitif». «C'est qu'il se produit encore des commencements primitifs dans l'art tels qu'on en trouverait plutôt dans les collections ethnographiques ou simplement chez soi, dans la chambre d'enfant. Ne rie pas, lecteur! les enfants ne sont pas moins doués – ce qui n'enlève rien aux mérites des travaux actuels mais contient au contraire une sagesse bénéfique! Moins il ont de savoir-faire et plus instructifs sont les exemples qu'ils nous offrent et il convient de les préserver très tôt de toute corruption, lorsqu'ils commencent à assimiler, voire à imiter, des œuvres d'art. Des phénomènes parallèles se retrouvent chez les aliénés et l'on ne saurait user

Portrait d'enfant (Félix), 1908, 64
Kinderbildnis (Felix)
Dessin à l'argile, aquarelle noire, 30 x 24 cm
Berne, Collection Felix Klee

«Quelle peut être la raison . . .», 1911, 81
Illustration du «Candide» de Voltaire
Plume et encre de Chine sur papier à lettres,
13,7 x 22,2 cm
Berne, Kunstmuseum, Fondation Paul Klee

avec malveillance de ce terme de folie pour déterminer exactement ce qui cherche à s'exprimer ici. Tout cela est à prendre profondément au sérieux, bien plus que toutes les pinacothèques, dès qu'il s'agit aujourd'hui de réformer l'art»[12].

Comme nous le montre ce passage cité de sa critique, les idées de Klee étaient proches de celles des rédacteurs du «Blaue Reiter». L'almanach, paru en mai 1912, présentait, outre des reproductions d'œuvres des modernes, des objets de peuples primitifs et des dessins d'enfants. Le livre de Hans Prinzhorn «Bildnerei der Geisteskranken» (Création des malades mentaux), qui allait exercer une grande influence sur l'art moderne des années vingt, n'était pas encore paru.

Klee était sorti de son isolement d'artiste. Il avait rencontré d'autres peintres intellectuellement proches de lui et il recevait à leur contact des impulsions importantes. En 1926, analysant rétrospectivement cette période, il écrivait dans le catalogue de l'exposition organisée lors du soixantième anniversaire de Wassily Kandinsky: «Il était plus avancé que moi dans son évolution. J'aurais pu être son élève et l'étais d'une certaine façon puisque l'un ou l'autre de ses propos pouvait parfois éclairer de façon positive et encourageante ma recherche. Ces propos s'appuyaient bien sûr sur sa création personnelle (premières compositions de Kandinsky)»[13]. Lors de l'exposition du «Blaue Reiter», il vit pour la première fois, exposés à côté des œuvres des organisateurs, des tableaux de Robert Delaunay (1885–1941). Il est probable qu'il en fut fortement impressionné, même s'il ne les évoque pas dans sa critique. Le problème de la couleur était un point essentiel de discussion au sein du groupe. Ainsi Marc et Macke, dans leur correspondance, s'exposent réciproquement leurs théories de la couleur. Il est vraisemblable que Klee, à Munich, ait discuté de ce sujet aussi avec ses amis.

Peu après, en février 1912, eut lieu chez le marchand de tableaux Goltz la seconde et dernière exposition du «Blaue Reiter». Elle se limitait à des dessins et des aquarelles. Dix-sept œuvres de Klee y étaient exposées. Cette seconde exposition était encore plus internationale que la première et Klee se trouva confronté pour la première fois à ses contemporains français: Georges Braque (1882–1963) et Pablo Picasso (1881–1973) entre autres, au constructivisme russe de Kasimir Malewitsch (1878–1935) mais aussi au cercle d'artistes «Die Brücke» (Le Pont).

En avril, il se rendit avec Lily à Paris. Il vit à cette occasion les œuvres de Picasso et de Braque, de Derain et de Maurice de Vlaminck (1876–1958). Il rendit aussi visite à Robert Delaunay dans son atelier. Delaunay s'était distancé du cubisme et la couleur était devenue pour lui «l'objet» essentiel dans le tableau. Il aboutit ainsi en 1912 à la «peinture pure», c'est-à-dire, à la peinture abstraite. Il était préoccupé par les relations existant entre les couleurs complémentaires (les couleurs opposées du cercle chromatique) et surtout par le problème du contraste simultané (l'œil percevant une couleur cherche automatiquement la couleur complémentaire et la «compose» lui-même s'il ne la trouve pas). Non seulement Klee, mais Marc et Macke aussi, rendirent visite à Delaunay en automne 1912; ils furent très impressionnés par ses expériences sur les couleurs et chacun les intégra à son travail.

Klee traduisit en 1913 l'article de Delaunay «De la lumière», pour le compte de Herwarth Halden (1878–1941), éditeur de la revue «Der Sturm» (La Tempête) à Berlin. Et dans la période qui suivit, il fit appel

«Plus important que ne le sont la nature et les études d'après nature est l'accord de l'artiste avec le contenu de sa boîte à couleurs. Il faudrait pouvoir un jour improviser librement sur le clavier chromatique que forment les godets d'aquarelle.» *Paul Klee, Journal, mars 1910*

Le concert des partis, 1907, 14
Das Konzert der Parteien
Aquarelle, plume et encre de Chine, sur papier
à dessin, 24,2 x 33 cm
Berne, Kunstmuseum, Fondation Paul Klee

dans ses œuvres aux principes exposés dans cet article. Halden dirigeait
aussi la galerie du même nom et c'est chez lui, qu'à partir de 1916, Klee
vendit ses premières œuvres.

Klee faisait désormais partie de l'avant-garde qui fut représentée en
1912 à l'exposition extraordinaire de Cologne. Marc et Macke lui deman-
dèrent d'organiser la participation suisse au Premier grand salon d'automne (1913) dans la galerie «Der Sturm». Klee y exposa lui-même huit
aquarelles et quatorze dessins. Il n'était certes pas, comme Kandinsky et
Marc, au tout premier plan de l'avant-garde; il ne s'engageait pas non
plus de la même façon que Marc surtout, pour la cause de l'art nouveau.
Mais il ne réussit pas non plus, durant les années qui ont précédé la première guerre mondiale, à imposer l'image de l'artiste retiré du monde et
travaillant dans le secret de son atelier. Il multipliait au contraire les
contacts et commençait à vendre. Et le catalogue de ses œuvres est là
pour témoigner de l'évolution de ses ventes.

C'est en 1911, en même temps qu'il commençait à recopier et à rédiger la première partie de son journal, qu'il composa le catalogue de ses
œuvres. Il se donna la peine d'y réunir les œuvres réalisées antérieure-
ment et y inclut aussi quelques dessins d'enfant qui lui paraissaient importants et que sa sœur avait conservés pour lui. Il note dans son journal:
«Quand on songe à tout ce que doit être un artiste: poète, naturaliste, phi-
losophe. Et me voici de surcroît devenu bureaucrate puisque j'établis un
catalogue long et précis de toute ma production artistique depuis mon enfance, à l'exception des dessins scolaires, des études de nu, etc., qui ne
témoignent pas d'une autonomie créatrice» (Journal 895). Il recommen-
çait pour chaque année une nouvelle numérotation. Il distinguait les
œuvres réalisées d'après modèle (B) et les œuvres d'imagination (A). Il
donnait aux œuvres particulièrement importantes à ses yeux, ou détermi-
nantes pour son art, une mention particulière: «Sonderklasse» (S. Cl.
Classe exceptionnelle) et se les réservait. La plupart de ces œuvres-là

sont aujourd'hui en possession de la fondation Paul Klee ou font partie de la collection Félix Klee, établies toutes deux à Berne. Lorsqu'il vendait une œuvre, il en notait le prix de vente et le nom de l'acheteur.

Les nouvelles rencontres qu'il avait faites et surtout la confrontation avec Delaunay eurent sur son évolution une influence décisive. Tout le savoir-faire acquis en peignant ses aquarelles noires avait fait aussi évoluer sa technique. Il savait désormais intégrer les formes dans les couleurs, vernir les couleurs et jouer des contrastes. Mais il ne savait pas transposer des motifs par des compositions de couleur de son invention. Il avait réfléchi déjà à ce problème et le traité de Delaunay «De la lumière» avait confirmé ses propres réflexions. Mais les tentatives qu'il avait faites de les mettre en pratique paraissaient artificielles; c'est le cas de l'aquarelle *Versant de montagne* par exemple qui date de 1914. On rapprocha cette œuvre de ce passage extrait du traité de Delaunay: «Aussi longtemps que l'art ne se détache pas de l'objet, il reste description, littérature et il n'est qu'esclavage de l'imitation. Ceci vaut aussi lorsqu'il accentue la clarté d'un objet ou l'éclairage de plusieurs objets sans que la lumière devienne pour autant le contenu évident du tableau»[14].

Klee avait des idées bien précises sur l'utilisation de la couleur et il s'efforçait de matérialiser ces idées dans ses œuvres. Il était pourtant conscient du caractère artificiel de ces tentatives. Ce qu'il voulait réaliser n'allait pas de soi et ne pouvait réussir d'emblée, mais nécessitait un travail précis.

Ceci n'est pas seulement le propre de Klee mais est caractéristique de nombreux artistes. Kandinsky, dans son livre «Du spirituel dans l'art», avait, en théorie déjà, franchi le pas vers l'abstrait avant de le réaliser dans son œuvre. Il suffit souvent de très peu pour qu'un artiste accède à la création, et à ce que lui-même considère comme une œuvre autonome – car il ne s'agit pas comme on le décrit parfois, d'inspiration divine; des années d'efforts et de lutte précèdent la réussite.

C'est le voyage à Tunis en 1914 qui donna à Klee cette autonomie créatrice. Il décrit dans son journal comment il ressentit cette révélation: «La couleur me possède. Point n'est besoin de chercher à la saisir. Elle me possède, je le sais. Voilà le sens du moment heureux: la couleur et moi sommes un. Je suis peintre.» (Journal 9 260). Il était enfin convaincu que les expériences et les luttes menées pendant plus de dix années avec la couleur l'avaient conduit à des résultats satisfaisants.

Mais ces lignes extraites de son journal ont le plus souvent été interprétées différemment par la littérature spécialisée: «Tout ce merveilleux séjour à Tunis n'a donc duré que dix jours mais il marque le début d'un nouveau chapitre. Klee commence à réfléchir sur la couleur et ces réflexions l'éloignent, plus que dans le dessin, de la nature et de l'être; elles le renvoient à «la création en tant que genèse sous la visible surface de l'œuvre» et au «romantisme froid de l'abstrait»[15].

Femme nue, 1910, 124
Weiblicher Akt
Huile sur mousseline et carton, 38,9 x 25 cm
Berne, Kunstmuseum, Fondation Paul Klee

1910. 124. akt

klee

1915. 2.42.

Le voyage à Tunis

Paul Klee, August Macke et Louis Moilliet partirent ensemble à Tunis en avril 1914. Ce voyage maintes fois décrit est toujours présenté comme un moment historique.

Moilliet connaissait un médecin suisse à Tunis, le Docteur Ernst Jäggi (1878–1941) qui l'avait invité déjà à plusieurs reprises. Moilliet avait répondu à cette invitation en 1908 et en 1909/10. Il avait projeté en 1913 un voyage avec Klee à Tunis mais ce projet avait dû être repoussé. «Aller seul à Tunis ne me tentait pas vraiment! Il fallait que ce fût un véritable voyage d'étude au cours duquel chacun stimule l'autre»[16].

Klee attendait donc davantage d'un voyage entrepris en compagnie d'amis que seul et il n'est pas étonnant que ce soit lui qui en ait repris l'initiative. De Berne, où il avait passé Noël en famille, il partit le 8 janvier 1914 pour le lac de Thoune. Moilliet habitait depuis 1910 à Gunten et Macke s'était établi pour six mois avec sa famille non loin de là, à Hilterfingen. Ils se rencontrèrent tous chez Macke où Klee évoqua le voyage qui avait été remis: il les gagna tous deux à son projet. Klee, grâce à l'entremise de Moilliet, réussit à vendre assez de tableaux pour financer son voyage. Le 3 avril 1914, Klee emmena son fils Félix à Berne chez les grands-parents puis passa prendre son argent et continua avec Moilliet jusqu'à Marseille où ils arrivèrent le 5 avril. Macke les y attendait déjà. Le 7 avril, ils débarquèrent à Tunis où le docteur Jäggi les accueillit. Klee était très réservé à l'égard de ce médecin qui ne parlait que de la Suisse: «Le docteur Jäggi, étrange, sec et sobre, se sent ici dépaysé. Il n'est sensible qu'au climat et à l'argent. Avec sa nostalgie de la Suisse, il m'est plus étranger que le dernier des mendiants arabes» (Journal 926 e).

Après trois jours passés à Tunis, où, sous la protection de la police, ils dessinèrent et peignirent dans les quartiers arabes et sur le port, Macke et Klee se rendirent à Saint-Germain, la résidence de campagne du médecin. De là, ils visitèrent avec Jäggi, en voiture, Sidi-Bou-Saïd et Carthage. Le 14 avril, les trois peintres prirent le train pour Hammamet d'abord, puis, de là, pour Kairouan. C'est là que Klee eut, ainsi qu'il le dit dans son journal, la révélation de la peinture. Il refusa d'en voir davantage et retourna plus tôt que prévu à Tunis. Macke et Moilliet se joignirent à lui mais restèrent ensuite quelques jours de plus à Tunis. Klee embarquait pour Naples le 19 avril, le 22 il était de retour à Berne et le 25 à Munich.

Klee fut le seul de ces trois peintres à rédiger un journal de voyage (926 a–u). Le journal relate surtout les événements, le déroulement des journées, les propos tenus et les activités de leur hôte qui, manifeste-

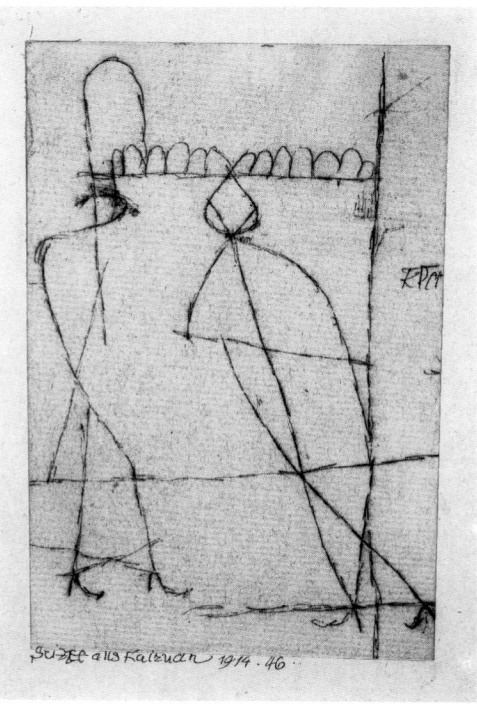

Esquisse de Kairuan, 1914, 46
Scizze aus Kairuan
Plume sur Ingres italien,
5,8 x 10,5 cm
Berne, Kunstmuseum, Fondation Paul Klee

Clair de lune à St Germain (Tunis), 1915, 242
Mondaufgang St. Germain (Tunis)
Aquarelle, 18,4 x 17,2 cm
Essen, Musée Folkwang

Vue de Kairuan, 1914, 73
Ansicht von Kairuan
Aquarelle, 8,2 x 21 cm
Munich, Galerie Stangl

ment, devenait au fil des jours de plus en plus antipathique à Klee. Il rapporte également les farces et les plaisanteries de Macke et de Moilliet: dans ce domaine, Klee n'était pas à la hauteur de ses compagnons. Pour simplifier, il ne les désigne plus que par Ma et Mo. Mais il y a au milieu de tout cela des considérations qui nous montrent que les trois compagnons de voyage discutaient de peinture, échangeaient leurs expériences et leur savoir et resserraient ainsi les liens qui les unissaient. Klee décrit leur arrivée à Tunis comme une expérience partagée avec Macke: «Le soleil d'une sombre force. La clarté nuancée sur le pays, pleine de promesses. Macke l'éprouve lui aussi. D'avance, nous savons tous deux que nous ferons du bon travail» (Journal 926 e).

Moilliet demanda à plusieurs reprises à Klee de peindre des sujets qui l'enthousiasmaient. A Saint-Germain, le dimanche de Pâques: «La soirée est indescriptible. Et de surcroît se lève la pleine lune. Louis me stimule: il faut peindre tout de suite» (Journal 926 k). Et puis à Kairouan de nouveau: «Louis m'indique quelques friandises chromatiques et pense devoir s'en remettre à moi pour les retenir» (Journal 926 o).

Moilliet peignit à peine durant ce voyage, Klee et Macke d'autant plus. Tous deux avaient fait la connaissance de Robert Delaunay deux ans auparavant et avaient étudié ses théories sur la couleur. Macke était déjà parvenu à Hilterfingen au bord du lac de Thoune, à traduire en peinture les certitudes que l'étude de l'œuvre et des théories de Delaunay lui avaient apportées. Il est probable que les artistes discutèrent à Tunis de Delaunay et des possibilités de mettre en pratique ses théories. De plus, ils peignirent souvent ensemble les mêmes motifs et échangèrent certainement leurs impressions.

On est par conséquent en droit de se demander si ce sont uniquement les paysages de Tunis, son architecture, la lumière méridionale et les couleurs qui aidèrent Klee à trouver la voie de la peinture. Ou bien le contact avec August Macke a-t-il contribué lui aussi à cette évolution ? Si l'on compare les aquarelles réalisées à Tunis par Klee, Macke et Moilliet, on est frappé de voir que Klee tendait à une plus grande abstraction alors que Macke privilégiait les couleurs plus lumineuses et plus intenses, tandis que Moilliet, lui, préférait peindre de grandes surfaces. Mais il est d'autres exemples qui révèlent l'influence réciproque: *Kairouan III* de Macke (repr. p. 25), *Vue de Kairuan* de Klee (repr. p. 24) et *Kairouan de Moilliet* (repr. p. 25). On peut bien sûr souligner les divergences entre les trois œuvres: ainsi Klee, contrairement à Macke ou Moilliet, travaillait beaucoup par petites touches et faisait de délicates transitions d'une couleur à l'autre, ce qui rappelle un peu la technique du clair-obscur. Ce sont pourtant les similitudes qui retiennent l'attention, surtout si nous établissons la comparaison avec les œuvres antérieures respectives des trois peintres. Il est significatif qu'un rapprochement perceptible n'ait eu lieu qu'à la fin du voyage. Le travail collectif, la discussion permanente entre les compagnons de voyage devaient inévitablement aboutir à une influence réciproque.

Il y eut par conséquent durant ce voyage des convergences même si elles n'apparurent que relativement tard. Mais il est impossible de dire après coup si elles proviennent d'une interdépendance immédiate ou si elles résultent de l'élaboration commune d'une démarche esthétique.

Pour ses aquarelles tunisiennes, Klee a travaillé avec des couleurs transparentes qu'il superposait. Un réseau de formes géométriques auquel s'ajoutait quelques lignes donnait naissance sur les tableaux à une architecture ou un paysage. Il était obligé de se réorienter en chaque lieu et de se familiariser avec le motif. Il peignait alors une quantité d'aquarelles relativement proches du modèle. Et c'est seulement après ce travail-là que Klee était en mesure de s'éloigner de l'objet pour abstraire davantage.

L'une de ses dernières œuvres de voyage, *Aux portes de Kairuan* (repr. p. 26), fut réalisée le jour même (le 16 avril 1914) où il nota dans son journal avoir acquis la certitude d'être enfin devenu peintre. Des surfaces de couleurs tendres se superposent pour construire un paysage et la perspective d'une ville. Le ciel et la terre ne font d'abord qu'un, puis se séparent progressivement au fur et à mesure qu'on regarde le tableau. Deux chameaux, un âne, quelques collines sont là pour nous aider à discerner un paysage, une ville et le ciel. De retour à Munich, Klee ajouta

Louis Moilliet:
Kairouan, 1914
Aquarelle, 22,6 x 28,6 cm
Cologne, Musée Ludwig,
Graphische Sammlung

August Macke:
Kairouan III, 1914
Aquarelle, 26,6 x 20,7 cm
Münster, Westfälisches Landesmuseum für Kunst und Kulturgeschichte (Musée d'art et d'histoire de l'art de Westphalie)

Aux portes de Kairuan, 1914, 216
Vor den Toren von Kairuan
Aquarelle, 20,7 x 31,5 cm
Berne, Kunstmuseum, Fondation Paul Klee

au titre initial ce commentaire: «version originale d'après nature». Il en fit ensuite une œuvre entièrement abstraite dont le titre fait encore allusion à Kairouan mais qui n'a que peu de similitudes avec l'aquarelle décrite plus haut. *Dans le style de Kairouan, transposé dans le registre modéré*, qui date de 1914 (repr. p. 27), se compose de rectangles de différentes tailles. Dans quelques-uns de ces rectangles vient s'ajouter un cercle. Les couleurs et les formes sont diversement réparties. Dans la moitié gauche du tableau les rectangles sont plus petits, serrés les uns contre les autres et dans des tons bruns, verts et rouges mats; vers le centre les formes s'agrandissent et le jaune, le rouge et le bleu sont lumineux. Vers la droite les formes sont encore plus grandes mais le vert et le bleu ont à nouveau perdu en luminosité. On devine une ville, vue d'en haut peut-être, au milieu d'un paysage. La manière reste la même dans les deux tableaux mais le degré d'abstraction diffère.

Durant sa période au Bauhaus, Klee a défini pour lui-même dans ses écrits pédagogiques la notion d'abstraction: «Abstrait? être peintre abstrait ne signifie pas l'abstraction immédiate à partir d'une comparaison possible à un modèle donné; cette notion repose, indépendamment de cette comparaison possible, sur la distance prise par rapport à des relations qui sont, elles, rarement figuratives . . . Des relations purement figuratives: ce sont celles qui existent entre le clair et l'obscur, entre la

couleur et le clair-obscur, entre les couleurs, entre le long et le court, le large et l'étroit, le net et le flou, la gauche et la droite, le bas et le haut, le premier plan et l'arrière-plan, entre le cercle et le carré ou le triangle»[17].

Jürgen Glaesemer, l'un des grands spécialistes de Klee interprète ces propos ainsi: «Klee voyait donc dans l'abstraction une exigence imposée à la méthode de l'artiste et non liée au message de l'œuvre en soi. Il voulait une utilisation abstraite – c'est-à-dire «pure» (qu'aucune perturbation extérieure ne vient fausser) des moyens figuratifs et souhaitait que cette utilisation abstraite obéisse à des lois propres. Qu'ensuite, à partir de combinaisons abstraites de formes et de couleurs résultent, par association, d'innombrables interprétations d'objets, ne remet pas en question l'exigence d'une pureté des moyens utilisés; elle s'en trouve, selon Klee, précisément justifiée»[18].

L'un des premiers tableaux à l'huile exécuté par Klee dans cet esprit abstrait est le *Tapis du souvenir* (repr. p. 29). Cette œuvre vit le jour en 1914, après le début de la première guerre mondiale. Elle est réalisée sur toile, avec un fond épais, d'une teinte ocre sale, sur lequel sont réparties, sans intention particulière apparente, de petites formes géométriques, des croix et des lettres isolées. Ce fond «sale», son bord effrangé et son titre font ressembler le tableau à un tapis ancien sur lequel des signes secrets d'époques et de cultures révolues s'adressent à nous. Si l'on

Maisons rouges et jaunes à Tunis, 1914, 70
Rote und gelbe Häuser in Tunis
Aquarelle et crayon, papier sur carton,
21,1 x 28,1 cm
Berne, Kunstmuseum, Fondation Paul Klee

tourne le tableau de quatre-vingt-dix degrés vers la gauche, on distingue alors une disposition architectonique tout à fait logique. L'inscription située tout en haut à gauche nous indique que Klee avait d'abord prévu un format en hauteur et qu'il ne l'a modifié que plus tard. De telles modifications apportées après coup étaient fréquentes chez lui. Le *Tapis du souvenir* peut encore, même s'il est impossible d'établir une relation directe, être considéré comme une œuvre issue du voyage à Tunis. Ce voyage à Tunis durant lequel Klee avait enfin trouvé accès à la couleur, il l'entreprit à une époque où ses amis les plus proches arrivaient à la fin de leur période créatrice.

Trois bons mois après son retour, l'Allemagne déclarait la guerre à la Russie et envahissait la France. Franz Marc et August Macke se portèrent volontaires pour défendre leur patrie. Marc, contrairement à Macke, eut encore le temps de réviser son idéalisme patriotique. Mais ils tombèrent tous les deux «en héros». Klee resta à Munich et continua de peindre. Plus tard encore, à partir de 1916, même après avoir rejoint l'armée, il eut la possibilité de peindre, de poursuivre son évolution, de participer à des expositions et enfin de vendre.

Tapis du souvenir, 1914, 193
Teppich der Erinnerung
Huile sur toile et carton, fond de craie et huile, 40,2 x 51,8 cm
Berne, Kunstmuseum, Fondation Paul Klee

La première guerre mondiale

Paul Klee eut son premier grand succès de vente en 1917, c'est-à-dire en pleine guerre. A cette époque, il illustrait dans ses tableaux des idées ou il leur donnait des titres dont la référence littéraire était facile à retrouver. La guerre semble alors peu le toucher. En 1915, il écrivait dans son journal la phrase maintes fois citée: «J'ai porté cette guerre en moi depuis longtemps. C'est pourquoi elle ne me concerne pas intérieurement» (Journal 952). C'est ce genre de phrase qui permit à la critique de conclure à l'indifférence de Klee devant les événements qui secouaient le monde. Et l'on ne chercha pas au-delà pour déceler une attitude politique quelle qu'elle fût, chez cet artiste isolé du monde («Ici-bas je ne suis guère saisissable . . .»[19]).

Alors que dans une lettre, adressée à Lily et datée du 9 décembre 1902, il se qualifiait de «globalement révolutionnaire». Grâce à son ancien camarade de classe et ami Fritz Lotman, le professeur de droit, Klee se trouva initié aux idées du socialisme. L'essai d'Oscar Wilde «Le socialisme et l'âme humaine» que Lotmar lui avait donné à lire, l'impressionna tellement qu'il en évoqua en détail le contenu dans ses lettres à Lily en y ajoutant ses commentaires personnels. Il envisageait, certes avec un certain scepticisme, la mise en pratique du socialisme mais affirmait cependant: «Si le socialisme laisse à chaque tempérament le milieu qui lui convient, alors je suis moi aussi socialiste. Mais sur ce point-là, comme dans la plupart des domaines, je reste incrédule. Je n'y serai toutefois jamais hostile parce que c'est le seul mouvement honnête»[20].

Le prétexte à ces lectures et discussions chez Lotmar était donné par les mouvements révolutionnaires en Russie, réprimés dans le sang en janvier 1905, et qui avaient déclenché un immense mouvement de grèves. Le quatuor à cordes dont faisaient partie Klee et Fritz Lotmar, participait à des soirées de bienfaisance organisées au profit des familles des victimes de St Pétersbourg. La même année, Klee intégrait la révolution dans son art. Tandis qu'il peignait *Le phénix sénile* (repr. p. 13), l'avant-dernier tableau des *Inventions*, il l'expliquait ainsi à Lily: «J'ai une allégorie de l'incompétence, incarnée par le phénix qui se lève; une image très originale. Il faut imaginer, par exemple, qu'il vient d'y avoir la révolution, on a brûlé l'incompétence et elle renaît maintenant de ses cendres, entièrement rajeunie. Voilà ce que je crois»[21]. Il modifia toutefois cette interprétation lorsque le tableau fut terminé. Le phénix rajeuni était devenu un vieillard auquel il ajouta (comme à toutes les *Inventions*) une explication: «Phénix sénile, symbole de l'incompétence dans les choses humaines (même les plus élevées) en des époques difficiles».

Mort au champ d'honneur, 1914, 172
Tod auf dem Schlachtfeld
Plume, 9 x 17,5 cm
Berne, Collection Felix Klee

Mythe de fleur, 1918, 82
Blumenmythos
Aquarelle sur shirting, fond de craie, papier journal sur carton, cadre de bronze argenté, 29 x 15,8 cm
Hanovre, Musée Sprengel

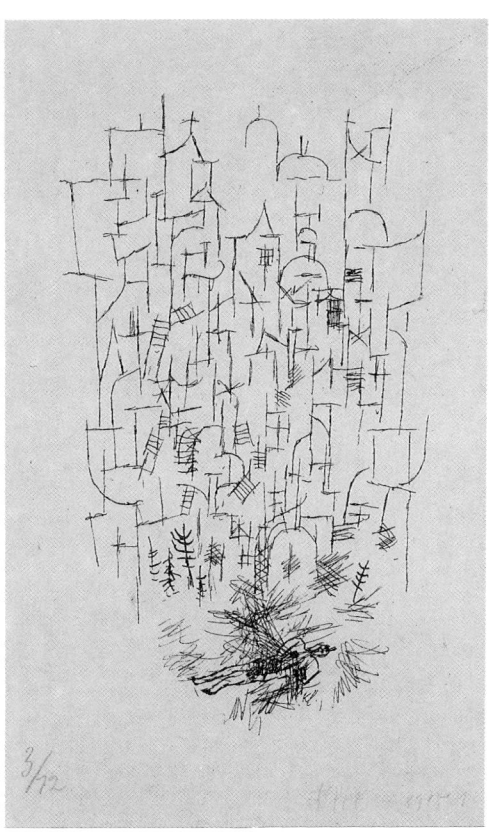

Mort pour l'idée, 1915, 1
Der Tod für die Idee
Lithographie à la plume, 16,2 x 8,5 cm
Hanovre, Musée Sprengel

Föhn dans le jardin de Marc, 1915, 102
Föhn im Marc'schen Garten
Aquarelle, collée sur carton, 20 x 15 cm
Munich, Städtische Galerie im Lenbachhaus

Werckmeister voit dans cet être déformé, presque entièrement déplumé n'ayant qu'un sein et qu'un pied, une personnification de la révolution manquée. Le crâne d'un phénix mort couronne le bâton qu'il tient, et il brandit ainsi la preuve que les révolutions sont vouées à l'échec[22].

Klee s'est donc intéressé aux événements politiques et a pris position à travers son art même si cela n'est pas toujours décelable immédiatement.

Cet artiste que l'on qualifiait d'«étranger au monde» nota tant dans le catalogue de ses œuvres que dans son journal en août 1914: «Début de la guerre mondiale». Sa correspondance avec Kandinsky et avec d'autres encore montre qu'il était préoccupé par la guerre mais qu'il n'y était, au début, pas tout à fait hostile. Il s'attendait, comme beaucoup de gens à l'époque, à une rapide victoire des Allemands et espérait que «l'essor national . . . apporte à nouveau des moyens, en audace et en argent, de la part des mécènes et des éditeurs qui, écrasés par le poids des dernières années, manquaient alors de courage»[23].

Après la mort de Macke, le point de vue de Klee sur la guerre se modifia. On retrouve ses critiques dans sa correspondance avec Marc. Peu après s'être engagé, Marc avait commencé à écrire des articles dans lesquels il parlait d'une Europe malade que seule la guerre, un sacrifice sanglant de la communauté des peuples, pouvait sauver. Il voyait une Allemagne, sortie rapidement vainqueur de la guerre qui prendrait une place prépondérante en Europe. Maria Marc faisait lire ces articles à Klee avant de les faire publier. Dans sa première lettre à Marc, qui était alors au front, Klee fait allusion à cette lecture: «J'ai perçu dans les petits articles que votre femme m'a fait lire à quel point votre esprit s'est adapté à ce changement inouï. Nous venons d'être, à vrai dire, directement touchés dans nos espoirs les plus ténus. Mais vous remplacez la perte par les espoirs les plus fous. Comme nous, Allemands, sommes désormais peu nombreux, et cependant?! Et voilà qu'en plus nous avons perdu August Macke . . .»[24].

Klee traitait à cette époque, dans ses œuvres aussi, du problème de la guerre. Entre le mois d'août et le mois de décembre 1914, on compte dans son catalogue douze titres qui font allusion à la guerre et parmi ces titres: *Mort au champ d'honneur* (repr. p. 31). Klee cependant ne pouvait pas, avec son art radicalement subjectif, à la fois abstrait et expressif, imposer au public ses idées personnelles sur la guerre. L'aspiration qu'il avait de toucher par son art le public le plus large possible, le poussa à vendre des lithographies à la revue nouvellement créée: «Zeit-Echo» («Echo de notre époque, journal de guerre des artistes»). Le dessin *Mort pour l'idée* (repr. p. 32) parut, accompagné d'un des derniers poèmes de Georg Trakl (1887–1914) qui portait sur le même thème. Mais le dessin de Klee n'illustrait pas le poème, il faisait allusion au suicide de Trakl.

Trakl avait fait partie de ces nombreux artistes partis enthousiastes à la guerre. Il fut l'un des premiers à ne pas en supporter la réalité. Il avait fait une dépression nerveuse puis s'était suicidé d'une overdose de cocaïne à l'hôpital militaire de Cracovie. Klee avait probablement appris ce suicide et le titre de sa lithographie y fait sans doute volontairement référence.

Mais dans la revue «Zeit-Echo», qui se voulait ouverte à toutes les tendances, poème et tableau étaient placés de telle sorte que Klee se re-

1915 102

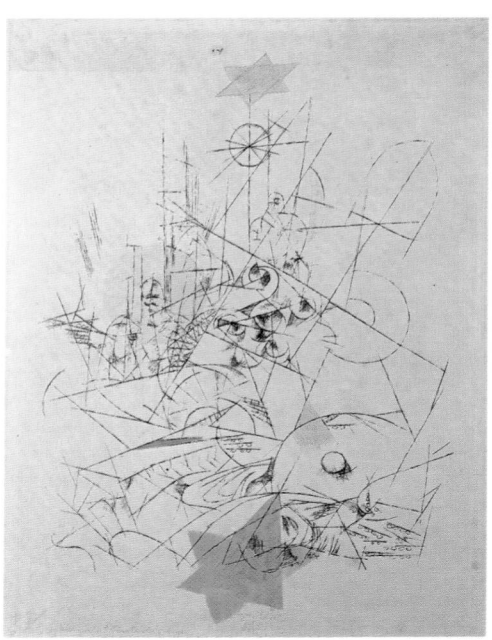

Destruction et espoir, 1916, 55
Zerstörung und Hoffnung
Lithographie et aquarelle, 52,5 x 39,8 cm
Munich, Städtische Galerie im Lenbachhaus

trouvait involontairement du côté des artistes et écrivains autrefois libéraux et qui se joignaient désormais à l'enthousiasme guerrier du moment. Cela allait à l'encontre de ses intentions et le poussa à prendre ses distances; il le fit dans des déclarations au début de l'année 1915 mais ne formula définitivement son désaccord qu'en 1921, probablement en révisant la rédaction de son journal: «On abandonne la région d'ici-bas pour aller construire de l'autre côté dans une région au-delà qui peut au moins exister intacte. Abstraction. Le froid romantisme de ce style sans pathos est inouï. Plus ce monde (d'aujourd'hui précisément) se fait épouvantable, plus l'art se veut abstrait, tandis qu'un monde heureux produit un art porté vers l'ici-bas» (Journal 951).

Cette dernière phrase tout particulièrement rappelle un texte qui avait fait fureur dans le groupe «Der blaue Reiter»: «Abstraction et identification» de Wilhelm Worringer. Rédigé sous forme d'essai en 1907, il parut en livre en 1908, et en 1910 déjà en paraissait la troisième édition. La thèse de Worringer reprise ici par Klee avec ses termes propres avait eu de nombreux adeptes avant la guerre. La position de Klee se référait donc à une conception de l'avant-garde esthétique.

Mais il n'eut pas le succès qu'il escomptait auprès du public. Les quelques collectionneurs qui connaissaient ses œuvres à cette époque, préféraient les aquarelles de Tunis et les paysages, comme par exemple *Föhn dans le jardin de Marc* (repr. p. 33). Ils refusaient l'abstraction telle qu'elle se manifestait dans *X vert en haut à gauche*.

En février 1916, Klee qui pensait devoir être recruté en août 1914 déjà, fut déclaré apte au service. Il reçut cette notification le jour même où il apprit la mort de Franz Marc. Cette coïncidence lui donna l'impression d'assurer la relève. Il reçut d'abord une formation à Landshut, au camp des conscrits, puis fut transféré le 20 juillet à Munich où il rejoi-

Carrière à Ostermundingen, 1915, 213
Steinbruch Ostermundingen
Aquarelle et crayon, papier sur carton,
20,2 x 24,6 cm
Berne, Kunstmuseum, Fondation Paul Klee

Composition cosmique, 1919, 165
Kosmische Komposition
Huile sur bois, 48 x 41 cm
Düsseldorf, Kunstsammlung
Nordrhein-Westfalen

gnit le deuxième régiment de réserve. Ainsi commença sa préparation au
front. Mais au mois d'août, il eut la surprise d'être envoyé à Schleißheim
au département de la réserve aérienne. Il apprit sans doute peu de temps
après, que son père avait tout mis en œuvre, avec l'aide d'amis influents,
pour lui épargner d'aller au front. Ces amis savaient que le roi de Ba-
vière, après la mort de Franz Marc, d'Albert Weißgerber (1878–1915) et
d'autres artistes encore, avait secrètement donné l'ordre d'épargner les
artistes munichois. Ils informèrent par conséquent les services compé-
tents du métier exercé par Klee. Klee doit ainsi en quelque sorte à son
ami Marc de n'avoir pas été au front. Au lieu de cela, il peignit, conformément à son métier, des avions.

  Le 16 janvier 1917, il fut à nouveau transféré, cette fois à Gersthofen, à l'école d'aviation, où il assura les fonctions de secrétaire de tréso-
rerie. Il y resta jusqu'à la fin de la guerre et put ainsi pendant toute la du-
rée de la guerre continuer à peindre. A Landshut déjà, puis à Schleißheim
et à Gersthofen, il put se louer une chambre où il se retirait après son service et peignait. Il avait, en outre, la possibilité d'aller voir Lily et Félix
même lorsqu'il était de service le week-end.

Ab ovo, 1917, 130
Aquarelle sur gaze et papier, fond de craie,
14,9 x 26,6 cm
Berne, Kunstmuseum, Fondation Paul Klee

A la fin de 1915 déjà, Klee avait cessé d'intégrer la thématique de la guerre dans ses œuvres. Pour sa première exposition à la galerie de Herwarth Walden «Der Sturm» en mars 1915, il donna à ses aquarelles abstraites de nouveaux titres manifestement thématiques. Walden vendit ces œuvres et en demanda même d'autres. C'était la première fois que Klee travaillait pour le marché de l'art. C'est paradoxalement au moment même où il fut incorporé que sa peinture, qu'il voulait voir comprise comme un refus absolu de la guerre, connût le succès.

Au cours de cette exposition à la galerie Sturm, Walden avait, dans son éloge à Franz Marc, brossé un portrait de l'artiste qui convenait plutôt à Klee. Klee éprouvait maintenant, dans le domaine de l'art cette fois, le sentiment qu'il avait déjà eu lors de son incorporation, de devoir prendre la relève. Pour l'exposition suivante chez Walden, en février 1917, Klee envoya surtout des aquarelles datées de 1916 et qui représentaient des motifs figuratifs ou qui portaient des titres d'inspiration poétique. Il vendit beaucoup lors de cette exposition. Et jusqu'à la fin de la guerre, Klee ne connut plus jamais de pareil succès. La critique vit alors en lui l'artiste allemand le plus significatif depuis la mort de Marc.

Cet extraordinaire succès de Klee est dû à deux facteurs: d'une part le peintre avait commencé à adapter son art au goût du public. Les réactions favorables à son changement de style l'incitèrent à travailler dans ce sens. Et il y eut d'autre part le rôle décisif des circonstances économiques. Les gains obtenus grâce à la production accrue d'armement pendant la guerre augmentèrent le pouvoir d'achat des classes possédantes. Celles-ci devaient placer leur capital pour qu'il ne perde pas de sa valeur, ce qui profita à l'art moderne.

Klee ne fut pas le seul à connaître le succès auprès des acheteurs en 1917. Werckmeister considère cette année-là comme le «moment où l'art moderne, qui jusqu'à la guerre avait été un défi jeté à la culture bourgeoise, rejoignit cette culture dans une idéologie commune». Les conditions financières et économiques nécessaires à ce phénomène datent précisément de cette année-là. Elles contredisent objectivement la revendication de liberté que Klee avait exprimée en 1915 dans sa théorie de l'abstraction.

C'est en fait à la guerre, qu'il croyait avoir condamnée, et plus précisément à cette condamnation même de la guerre que Klee doit sa carrière d'artiste»[25].

Ce qui se dessinait déjà dans les tableaux *Dans le style de Kairouan*, (repr. p. 27) et *Avec le Δ brun* vaut aussi pour la *Carrière à Ostermundingen* (repr. p. 34). Klee peignit cette aquarelle en 1915, durant le dernier été de la guerre qu'il put passer à Berne. Malgré le titre, il ne s'agit plus d'un paysage. Ce sont des plages de couleur assemblées pour former des cubes, mais elles ne représentent aucun motif. (S'agit-il de la paroi d'une carrière ou d'un motif abstrait? Les deux sont plausibles).

En 1916, après que Klee eut renoncé à l'abstraction de 1915, Lily lui envoya des poèmes chinois qu'il illustra par des tableaux. Il avait en fait prévu de réaliser un cycle important de ces tableaux-poèmes mais s'arrêta après quelques essais. Il réalisa ainsi, en 1918, *Jadis surgi du*

Avec l'aigle, 1918, 85
Mit dem Adler
Pastel sur fond rouge, fond de craie sur Ingres, posé sur papier glacé, carton, 17,3 x 25,6 cm
Berne, Kunstmuseum, Fondation Paul Klee

Cacodémoniaque, 1916, 73
Kakendämonisch
Aquarelle sur coton, fond de plâtre, carton,
18,5 x 25,5 cm
Berne, Kunstmuseum, Fondation Paul Klee

Jadis surgi du gris de la nuit, 1918, 17
Einst dem Grau der Nacht enttaucht . . .
Aquarelle, dessin à la plume avec encre de
Chine sur papier, 22,6 x 15,8 cm
Berne, Kunstmuseum, Fondation Paul Klee

Einst dem Grau der Nacht enttaucht / Dann schwer und teuer / und stark vom Feuer /
Abends voll von Gott und gebeugt // Nun ätherlings vom Blau umschauert, / entschwebt
über Firnen / zu klugen Gestirnen.

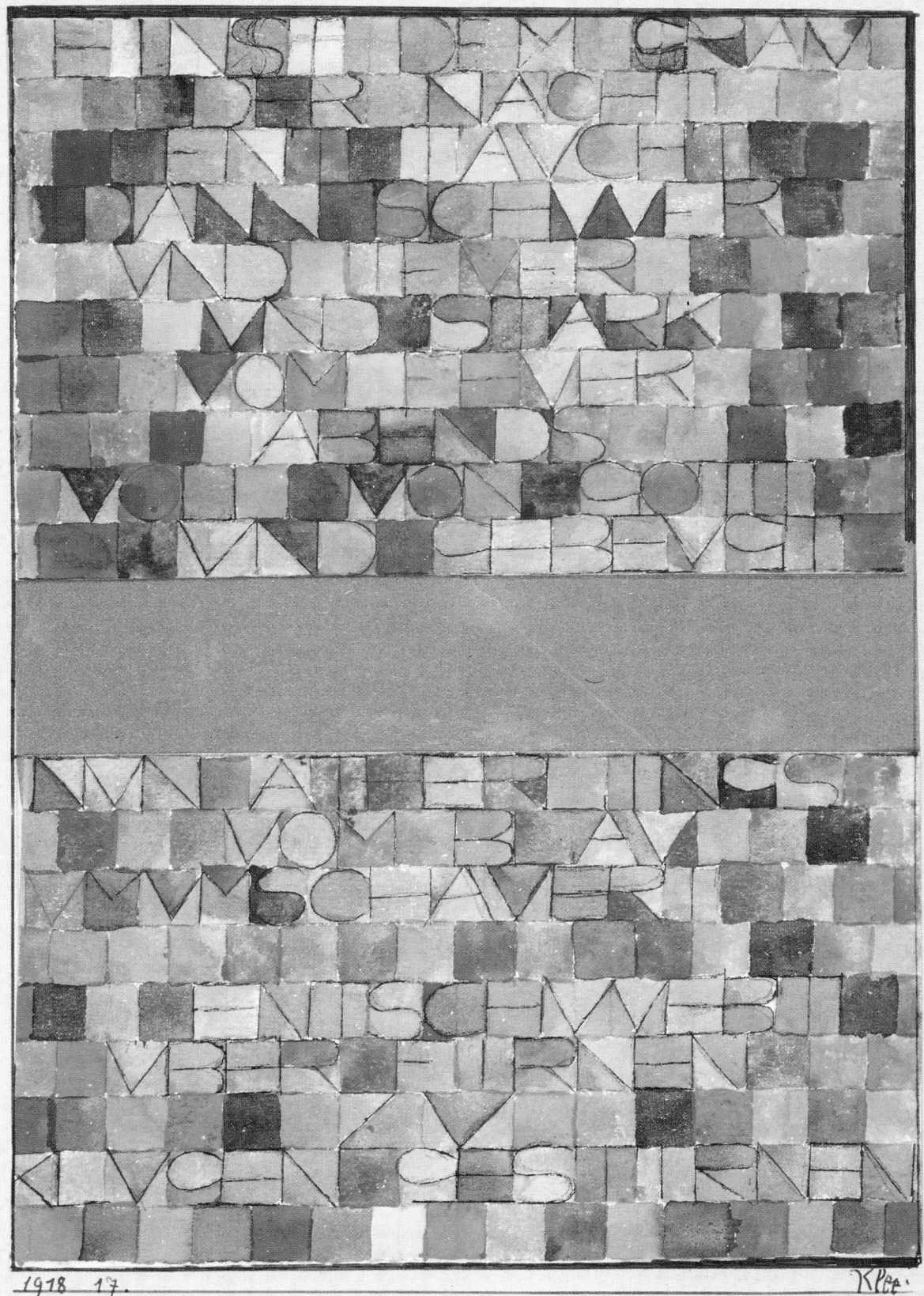

1918 17.   Klee.

1917. 108. Warnung der Schiffe

gris de la nuit (repr. p. 39), une composition autour d'un poème dont l'origine n'est pas connue mais que l'on attribue généralement à Klee:

«Jadis surgi du gris de la nuit
puis devenu lourd et cher
avec la force du feu,
empli de Dieu et vaincu le soir.
Alors, entouré d'épouvante dans le bleu de l'éther,
s'échappe au-dessus des névés
retrouver les astres-avisés»[26].

Le tableau est construit de façon toute géométrique. Les lettres sont inscrites dans de petits carrés de couleurs différentes. Entre la première et la seconde strophe l'image est coupée et un morceau de papier argenté s'y intercale. En haut du carton, qui est le support de l'aquarelle, les vers sont inscrits encore une fois. Les couleurs sont claires et lumineuses comme dans *Cacodémoniaque* (repr. p. 38) ou *Ab ovo* (repr. p. 36). Pour ce qui est de la couleur, Klee ne s'appuyait plus sur Delaunay mais sur Franz Marc. Il était à nouveau question de cette relève qu'il devait, pensait-il, assurer; des tiers le lui avaient d'ailleurs confirmé, surtout le marchand de tableaux Herwarth Walden – bien que les sujets des tableaux des deux artistes, Klee et Marc, aient très peu de points communs.

Cette aspiration à voler, que Klee connaissait déjà depuis longtemps, fut renforcée par son passage chez les aviateurs. En 1905 déjà, il avait peint la troisième *Invention* qu'il avait alors déjà intitulée *Le héros à l'aile* (repr. p. 6). Doté par la nature d'une seule aile, ce héros s'est imaginé qu'il était destiné à voler, ce qui fut sa perte. Il notait à ce propos dans son journal: «Ce personnage né avec une seule aile d'ange, contrairement aux êtres divins, s'efforce infatigablement de prendre son essor. Ce faisant, il se brise bras et jambes, mais n'en persévère pas moins dans son idée» (Journal 585). Klee n'a cessé de thématiser sa vision du vol dans son journal. En 1915 encore, essayant de prendre ses distances vis-à-vis de la guerre, il notait: «Pour me dégager de mes ruines, il me fallait avoir des ailes. Et je volai» (Journal 952).

A Gersthofen, il eut à partir de 1917 l'occasion de voir des avions voler et surtout s'écraser, puisqu'on l'avait chargé de photographier durant ses loisirs, des avions s'écrasant. C'est à cette époque-là qu'apparaissent pour la première fois dans ses tableaux des oiseaux tombant à la manière des avions de papier, comme par exemple dans *Mythe de fleur* de 1918 (repr. p. 30). Cette œuvre, bien sûr en rapport direct avec Gersthofen, mais ce rapport est encore plus évident sur son dessin *Oiseaux-avions*, traduit essentiellement l'idée que Klee se faisait du vol, de l'enfance et de la sexualité. Il notait en 1906 déjà dans son journal: «Rêve. Je m'envolai à la maison, où est le commencement. D'abord je fus à méditer en me rongeant les doigts. Puis je reniflai quelque chose . . . ou je goûtai quelque chose. Si maintenant une délégation se présentait chez moi et s'inclinait solennellement devant l'artiste, désignant avec reconnaissance ses œuvres, ceci ne m'étonnerait guère. Car j'étais là où est le commencement: chez mon adorée Madame Cellule Originelle, promesse de fécondité» (Journal 748). Les deux dernières phrases sont du reste également le sujet de l'aquarelle *Ab ovo* (repr. p. 36), sur laquelle œuf et semence se mélangent pour former la cellule originelle.

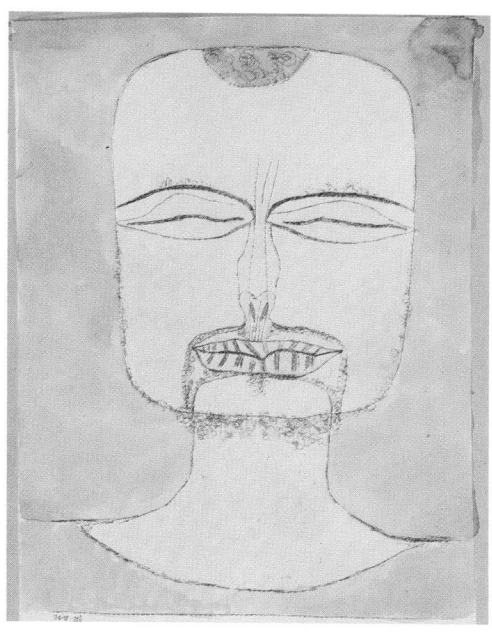

Méditation, 1919, 113
Versunkenheit
Lithographie et aquarelle, 25,6 x 18 cm
Berne, Collection Felix Klee

Mise en garde des navires, 1917, 108
Warnung der Schiffe
Plume et aquarelle sur papier, monté sur carton, 24,2 x 15,6 cm
Stuttgart, Staatsgalerie, Graphische Sammlung

Génie servant un petit déjeuner (L'ange apporte ce qui est demandé), 1920, 91
Ein Genius serviert ein kleines Frühstück
(Engel bringt das Gewünschte)
Lithographie, impression unique avant tirage,
aquarelle, 19,8 x 14,6 cm
Hanovre, Musée Sprengel

Portrait avec barbe allemande, 1920, 22
Kopf mit deutscher Barttracht
Huile et plume sur papier, collé sur bois,
32,5 x 28,5 cm
Düsseldorf, Kunstsammlung
Nordrhein-Westfalen

Sur une autre œuvre réalisée à Gersthofen, le petit avion de papier-oiseau ne vole ni ne tombe: il s'agit du tableau *Avec l'aigle* (repr. p. 37), où dominent des tons rouges chauds. De petits arbres, de petites maisons et des animaux dessinés à la manière des enfants évoquent un paysage de rêve. Au-dessus de l'œil immense au centre du tableau s'élève un arc superbe sur lequel un petit aigle aux ailes déployées est en équilibre. Il est prêt à s'envoler au-dessus du paysage et de l'œil qui observe. Werckmeister y voit «l'allégorie de l'artiste qui s'élance au-dessus des ruines de la guerre»[27]. Il est significatif que Klee n'ait pas offert cette œuvre à la vente mais l'ait conservée. Il ne la montrait dans aucune exposition comme il le faisait souvent pour des œuvres qu'il ne voulait pas vendre mais qui lui semblaient avoir une place dans l'évolution de son art.

Avant même l'armistice du 11 novembre 1918, fut proclamée à Munich le 7 novembre la république communiste. Le 30 octobre déjà, Klee exprimait dans une lettre à Lily sa crainte d'une révolution imminente. En décembre il demanda à quitter le conseil de la révolution et fut mis en congé. Devenu secrétaire de la «Neue Münchener Secession», il put toutefois constater que le gouvernement communiste approuvait l'art moderne et l'encourageait.

On demanda à Klee en avril 1919 d'entrer au comité d'action révolutionnaire des artistes et il accepta avec enthousiasme. Mais il n'eut pas le temps de travailler dans ce comité. La république communiste fut renversée et Munich occupée par des troupes de corps-francs. De cette époque date la grande lithographie polychrome *Méditation* (repr. p. 41), qui exprime le nouvel isolement du peintre.

Dans une lettre à Alfred Kubin du 12 mai 1919, mais qu'il envoya le 10 juin seulement, il résume ses expériences des derniers mois et les conséquences qu'elles ont pour lui: «Bien que cette république communiste semblât dès le début vouée à un bref avenir, elle permit tout de même de vérifier les possibilités de vie au sein d'une telle communauté. Elle ne fut pas sans résultat positif. Bien sûr un art extrêmement individualiste n'est pas propre à être apprécié par l'ensemble de la communauté, c'est un luxe capitaliste. Mais nous sommes bien davantage des curiosités pour snobs fortunés. Et ce qui en nous aspire au-delà, à des valeurs éternelles, pourrait recevoir plus de soutien de la part d'une société communiste.

L'action profitable de notre exemple se ferait par des voies différentes, sur une base plus large . . . Cet art nouveau pourrait alors faire partie de l'artisanat et permettre un essor important. Car il n'y aurait plus d'académies mais seulement des écoles d'art qui formeraient des artisans»[28]. Il est tout à fait possible que Klee ait su à cette époque déjà qu'on souhaitait lui donner un poste dans une telle école. Mais il attendit encore plus d'un an avant de recevoir sa nomination au Staatliches Bauhaus à Weimar. Il fut brièvement question en 1919 que Klee obtienne un poste à l'Académie des beaux-arts de Stuttgart. Mais il renonça rapidement à cet espoir.

Contrairement à de nombreux autres artistes qui avaient rejoint la révolution, Klee vendait entre-temps tellement qu'il n'était plus à même de gérer personnellement son œuvre. Il signa avec Hans Goltz, qui l'avait en 1918 aidé en acquérant ses œuvres, un contrat exclusif. Goltz organisa en 1920 une grande rétrospective qui réunit 326 de ses travaux. Deux monographies parurent; elles s'appuyaient sur des extraits de son

Jardin de roses, 1920, 44
Rosengarten
Huile sur carton, 49 x 42,5 cm
Munich, Städtische Galerie im Lenbachhaus

journal que Klee avait mis à la disposition des auteurs. Le succès était enfin là.

Mais bien que le contrat avec Goltz lui garantit un revenu annuel minimum, il parut à Klee trop aléatoire de ne compter que sur ses ventes. Les fluctuations auxquelles était soumis le marché de l'art étaient trop importantes. C'est une des raisons pour lesquelles il n'hésita pas à accepter sa nomination au Staatliches Bauhaus à Weimar.

Villa R, 1919, 153
Huile sur carton, 26,5 x 22 cm
Bâle, Kunstmuseum

1922/109   Betroffener Ort

Bauhaus et Düsseldorf. Conflit et solution

«Cher monsieur Klee, nous avons la joie de vous envoyer d'un commun accord ce télégramme. Nous sommes présentement, notre budget ayant été accordé, en mesure de nommer parmi nous un nouveau professeur et notre choix fut simple. Depuis un an déjà, j'attends le moment de vous adresser cette demande. Je suppose que vous êtes un peu au courant du travail que nous avons commencé ici et que vous n'avez aucune réserve importante à cet égard. Les étudiants se réjouissent à l'idée de votre venue; tout le monde ici, à vrai dire, vous attend avec sympathie. C'est pourquoi nous espérons que vous nous répondiez rapidement oui! Le mieux serait peut-être que vous veniez tout de suite nous voir et que nous discutions le plus tôt possible de tout ici même. La proposition financière est la suivante: un atelier à votre disposition et 16 500 Mark d'honoraires conformément au nouveau règlement. Donnez-moi s'il vous plaît votre réponse. Ce serait bien si vous veniez. Votre très dévoué Walter Gropius. Weimar, le 29. 10. 1920. Bauhaus»[29].

Vieillard calculateur, 1929, S 9 (99)
Rechnender Greis
Eau-forte sur cuivre, 29,9 x 23,7 cm
Hanovre, Musée Sprengel

Le «Staatliches Bauhaus» à Weimar avait été fondé en avril 1919 sous la direction de l'architecte Walter Gropius (1883–1969). Gropius avait, après la révolution de novembre en 1918, fait partie du comité de travail pour l'art. Il put, avec l'aide du ministre de la culture social-démocrate réaliser au sein de cette nouvelle institution les idées qui y avaient été en partie élaborées. Le Bauhaus réunissait l'ancienne école des beaux-arts et ce qui restait de l'école des arts décoratifs. Les différents domaines de l'art ne devaient plus rester isolés les uns des autres plus longtemps ni persister dans leur autonomie à l'écart de toute pratique. Toutes les disciplines, sculpture, peinture, arts décoratifs et artisanat, devaient au contraire être réunies pour former les composantes indissociables d'une nouvelle architecture[30].

On reprit, comme cela avait été le cas dans l'Art nouveau déjà, l'idée d'un art global qui réaliserait la conception courante au Moyen-Age de l'unité de l'art et de l'artisanat. On ne préconisait plus toutefois, comme l'avait fait William Morris (1834–1896) quelques cinquante ans auparavant en Angleterre, les méthodes de fabrication du Moyen Age; on aspirait désormais plutôt à une coopération de l'art et de l'industrie.

Dans les finalités et les principes formulés par Gropius pour le Bauhaus, il est dit entre autres: «L'art naît au-delà de toutes les méthodes, il ne s'enseigne pas; ce qu'on peut enseigner, par contre, c'est la pratique de l'art. Les architectes, les peintres, les sculpteurs sont des artisans au sens premier du terme; c'est pourquoi la base indispensable à toute création plastique que l'on doit düiger de tous les étudiants, c'est une formation pratique solide en atelier»[31].

Lieu visé, 1922,109
Betroffener Ort
Aquarelle, dessin à la plume avec encre de
Chine sur crayon, papier collé sur carton,
32,8 x 23,1 cm
Berne, Kunstmuseum, Fondation Paul Klee

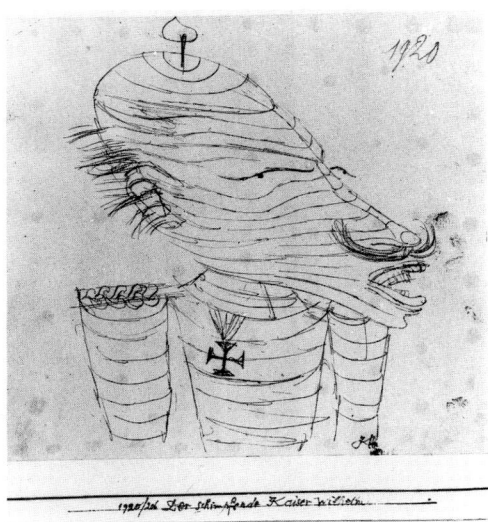

L'empereur Guillaume en colère, 1920, 206
Der schimpfende Kaiser Wilhelm
Plume, 18,5 x 20,5 cm
Berne, Collection Felix Klee

REPRODUCTION PAGE 50:
Le funambule, 1923, 121
Der Seiltänzer
Aquarelle sur dessin à l'huile, Ingres sur carton, 48,7 x 32,2 cm
Berne, Kunstmuseum, Fondation Paul Klee

REPRODUCTION PAGE 51:
Dieu de la forêt nordique, 1922, 32
Der Gott des nördlichen Waldes
Huile, dessin à la plume avec encre de Chine, toile sur carton, 53,5 x 41,4 cm
Berne, Kunstmuseum, Fondation Paul Klee

EN FACE:
La machine à gazouiller, 1922, 151
Die Zwitscher-Maschine
Dessin à l'huile et aquarelle sur papier collé sur carton, 41,3 x 30,5 cm
New York, Collection The Museum of Modern Art, acquisition

Professeurs et élèves s'appelaient donc maîtres, compagnons et apprentis. Les élèves pouvaient, à la fin de leur formation, passer leur examen de compagnon ou de patron. Et des «maîtres de théorie», comme s'intitulait Paul Klee par exemple, dirigeaient les ateliers aux côtés de maîtres artisans. Cette distinction était appelée à disparaître lorsque suffisamment d'étudiants auraient été formés au Bauhaus. Gropius ne faisait pas de différence fondamentale entre l'art et l'artisanat mais concevait l'art simplement comme un degré plus élevé de l'artisanat dont il était le prolongement naturel; la pratique artisanale devait en être le soutien indispensable. Les études au Bauhaus commençaient par un cours d'initiation ou cours élémentaire que devait suivre chaque élève et qui constituait en même temps une sorte de période d'essai. Puis venait ensuite la formation dans les différents ateliers. Il y avait un atelier pour le travail du métal, une imprimerie, un atelier de poterie, un atelier de tissage, un cours de sculpture et le théâtre du Bauhaus. Klee fut, jusqu'au démantèlement du Bauhaus en 1922, maître de théorie dans l'atelier de reliure. Il dirigea ensuite avec Kandinsky, qui y fut nommé en 1922, l'atelier de peinture sur verre et celui de peinture murale.

Dès le début, le Bauhaus eut à se défendre de critiques issues essentiellement des milieux conservateurs et nationaux-socialistes. En 1924, le gouvernement de Thuringe, devenu entre-temps un gouvernement de droite, résilia le contrat conclu avec le Bauhaus et ses professeurs. Il y eut d'âpres négociations menées avec quelques villes, puis le parlement de la ville de Dessau se déclara prêt, quelques jours avant que le contrat n'expire, à accueillir le Bauhaus. Professeurs et étudiants durent se contenter durant toute une année d'une installation provisoire. En 1926 les cours purent reprendre régulièrement dans un bâtiment conçu par Gropius. Gropius avait conçu aussi des maisons pour les professeurs qui furent terminées en été 1926. Et c'est à partir de cette date que Klee et Kandinsky furent voisins. Mais il y eut à Dessau aussi des conflits avec la municipalité. Gropius quitta le Bauhaus en 1928. Son successeur fut Hannes Meyer (1889–1954), qui avait déjà travaillé un an au Bauhaus. Meyer exigea que s'établisse une coopération entre le travail en atelier, l'art libre et la science. Il fit tout ce qui était en son pouvoir pour éviter que ne naisse un style «Bauhaus».

Du temps de Gropius déjà on avait à Dessau renoncé à la distinction entre maître de théorie et maître d'atelier. On avait entre-temps formé des étudiants qui étaient en mesure de reprendre les ateliers. En même temps, Klee et Kandinsky dirigeaient des «cours de peinture libres» qui n'avaient pas de vraie fonction au sein de l'école. Les principes initiaux du Bauhaus perdaient ainsi de leur caractère contraignant.

Meyer tenta de s'opposer à cette tendance par un fonctionnalisme extrême. Il exigeait des projets réalistes et à orientation sociale, par exemple la conception de papiers peints, de textiles industriels, de lampes et de meubles. Cette politique n'était pas du goût de tous les professeurs. Ils firent pression pour que Hannes Meyer fût renvoyé sans préavis en 1930, avec pour prétexte d'avoir politisé le Bauhaus et d'en avoir fait, soi-disant, un lieu d'agitation communiste. Son successeur Ludwig Mies van der Rohe (1886–1969) s'efforça de donner au Bauhaus une direction purement scientifique et technique. Il espérait ainsi pouvoir rester en dehors des luttes politiques. Et pourtant, en 1932, la majorité au parlement de Dessau décida la dissolution du Bauhaus. Mies van der Rohe

Zwitscher Maschine

4   1922/151   Die Zwitscher-Maschine

1923 121 Der Seiltänzer

Saml.Kl. 1922 / 32   Der Gott des nördlichen Waldes

Fraise des bois, 1921, 92
Waldbeere
Aquarelle sur papier et carton, 32 x 25,1 cm
Munich, Städtische Galerie im Lenbachhaus

Harmonie de carrés en rouge, jaune, bleu,
blanc et noir, 1923, 238
Harmonie aus Vierecken mit Rot, Gelb, Blau,
Weiss und Schwarz
Huile sur carton, fond noir, 69,7 x 50,6 cm
Cadre original peint: 83,4 x 64,5 cm
Berne, Kunstmuseum, Fondation Paul Klee

réussit encore à transformer le Bauhaus en institut privé, qui s'installa à Berlin. Il put y fonctionner un an avant d'être fermé par les nazis. Un grand nombre de professeurs et d'étudiants émigrèrent et propagèrent à l'étranger les idées nées au Bauhaus. Le cours élémentaire en particulier a été, et est encore aujourd'hui, repris par de nombreuses écoles. Mais les tentatives de recréer un nouveau Bauhaus n'ont jusqu'à maintenant jamais vécu bien longtemps. Et ce sont l'architecture et le design du Bauhaus d'alors qui donnent encore le ton aujourd'hui.

La nomination de Klee résultait d'une politique culturelle conséquente. Klee s'était rallié, à la suite de la révolution de novembre à Munich et après quelques hésitations, à la gauche politique et celle-ci l'avait accueilli. Les peintres qui collaboraient déjà au Bauhaus connaissaient Klee ou connaissaient du moins son œuvre. Ils se rattachaient tous au courant moderne de la peinture, qui était exposé à la Galerie «Der Sturm» à Berlin et ils étaient tous, d'une manière ou d'une autre, protégés par Herwarth Walden. Ils avaient ainsi tous de nombreux points communs. Les choses changèrent lorsque les constructivistes, László Moholy-Nagy par exemple (1895–1946), vinrent enseigner au Bauhaus.

En janvier 1921, Klee prit ses fonctions à Weimar. Jusqu'en septembre et même pendant une partie de septembre encore, il fit la navette entre Munich et Weimar puis la famille put, elle aussi, déménager. Félix, alors âgé de quatre ans à peine, fut le plus jeune élève du Bauhaus. Après une période d'adaptation et de mise au courant de trois mois, Klee commença son enseignement théorique en avril; il présentait et analysait au début ses propres travaux. Mais il abandonna très vite cette forme d'enseignement. Au semestre d'hiver 1921, il annonça un cours de dessin figuratif, qu'il prépara soigneusement.

Ce cours est publié depuis 1979. Il y reprenait des idées que Johannes Itten (1888–1967) avait formulées dans son cours d'initiation. Durant ses premières années au Bauhaus surtout, Klee s'identifia aux théories qui y étaient représentées.

Dans une discussion de principe qui opposa Gropius et Itten et qui se termina par le licenciement d'Itten en octobre 1922 et son départ en 1923, Klee déclara dans une prise de position en décembre 1921, qu'il voyait un côté positif à cette possibilité d'affrontement: «Je salue le fait que dans notre Bauhaus coopèrent des énergies dans des directions aussi différentes. J'approuve aussi l'affrontement de ces énergies lorsqu'il est productif et débouche sur un résultat tangible. L'opposition est une excellente chose pour chaque force en présence, lorsqu'elle reste objective. Des jugements de valeur sont toujours subjectivement limités et un jugement négatif porté sur ce que produit l'autre ne peut avoir une importance déterminante pour l'ensemble. Pour ce qui concerne l'ensemble, rien n'est faux et rien n'est juste; l'ensemble vit et se développe grâce à l'action des différentes énergies tout comme, dans l'univers, l'action conjuguée du bien et du mal est finalement positive»[32].

En 1924, à l'occasion d'une exposition de ses œuvres à l'association culturelle de Iéna, Klee fit un exposé sur sa peinture qu'il conclut par une profession de foi en faveur du Bauhaus. Il reprenait dans son discours des déclarations de Gropius: «Je rêve parfois une œuvre assez ample qui englobe tous les domaines: l'élémentaire, le concret, le contenu et la forme. Ceci ne sera sans doute qu'un rêve . . . Il ne faut rien précipiter. Il faut que l'œuvre mûrisse, qu'elle grandisse et lorsqu'enfin elle est

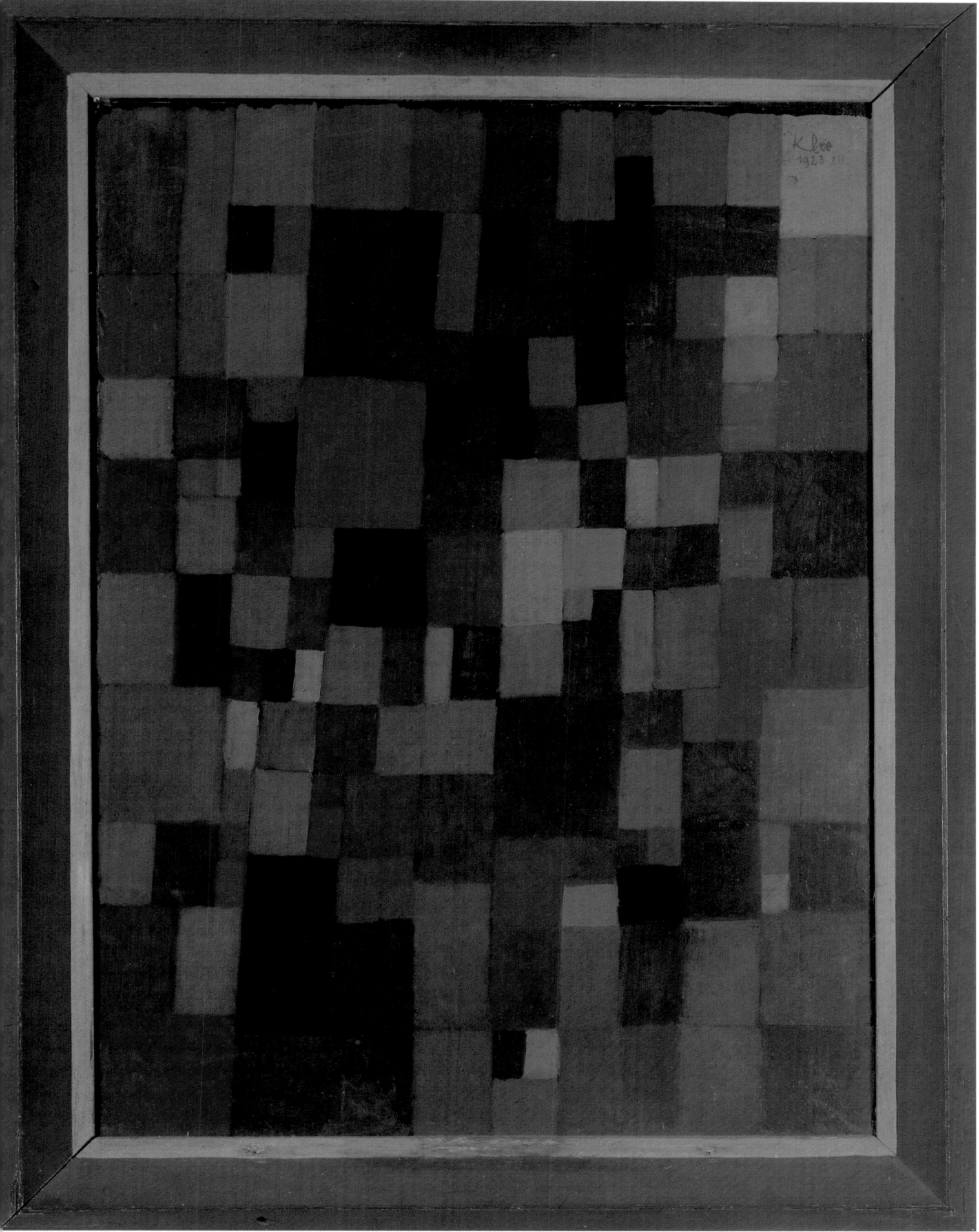

monsieur Perlenschwein (Perlecochon), 1925,
W 3 (223)
Pochoir et aquarelle sur papier japonais, monté
sur carton, 51,5 x 35,5 cm
Düsseldorf, Kunstsammlung
Nordrhein-Westfalen

«L'art ne reproduit pas ce qui est visible mais
rend visible. L'essence même du dessin tend, à
raison, à nous mener vers l'abstraction. Le caractère schématique et fantastique de l'imagination est donné et s'exprime en même temps
avec une grande exactitude. Plus le dessin est
pur, c'est-à-dire plus on accorde d'importance
à la forme qui sous-tend la représentation graphique, plus l'échafaudage qui sert à la représentation réaliste des objets visibles est faible.»
Paul Klee, Confession d'un créateur, 1920

terminée, alors tant mieux ! Nous devons chercher encore. Nous avons
trouvé des éléments mais nous n'avons pas encore tout trouvé. Il nous
manque encore cette ultime énergie: une communauté qui nous porte.
Mais nous cherchons une communauté, nous avons déjà commencé, là-
bas au Bauhaus. Nous avons commencé là à bâtir une communauté à laquelle nous donnons tout ce que nous avons. Nous ne pouvons davantage»[33].

Avec cette idée de «don», Klee se mettait en conflit avec son propre
travail. En 1926, alors qu'il enseignait déjà à Dessau et que sa famille vivait encore à Weimar, il ne faisait cours que tous les quinze jours; ce qui
irritait ses collègues et ses étudiants. En 1927 il avait divisé son enseignement en deux parties: théorique et pratique. Or cet enseignement pratique, les étudiants devaient y travailler seuls. Klee n'était pas venu faire
cours mais n'en avait pas prévenu la direction ni ses collègues. Il s'était
rendu en Suisse et en France. Il reçut durant ce voyage un télégramme et
deux lettres qui lui enjoignaient de revenir immédiatement. Il répondit le
22 septembre poliment mais fermement: «Je suis avant tout un artiste qui
produit des œuvres et j'essaie d'assumer cette fonction de professeur;
c'est difficile dans la mesure où cela n'est possible qu'à condition de gar-
der l'équilibre entre cette fonction et une activité créatrice. Il faut pour
cela que l'enseignement lui-même soit assuré de façon à être source de
création et que soit ménagée une marge égale de vacances qui permette
de se reposer . . . Je rentrerai le trois octobre . . .»[34]. Il s'accordait donc
encore quinze jours, ne céda pas à l'injonction des collègues et s'en tint
à son projet initial.

La conduite peu solidaire de Klee ne signifie pas qu'il désapprou-
vait les objectifs poursuivis par le Bauhaus; il n'était simplement plus à
même de concilier ces objectifs avec sa vie personnelle et l'idée qu'il se
faisait de son travail. C'est ce qui transparaît dans quelques passages des
lettres qu'il écrivit à Lily en 1928: «la sollicitation intérieure et extérieure est si grande que je pourrais en perdre tout à fait la notion du
temps . . . je suis constamment en proie à la mauvaise conscience; elle se
manifeste sans cesse, sous une forme ou une autre: c'est tantôt celle de
l'artiste tantôt celle du professeur, ou celle de l'homme . . .»[35]. Et il écrivait un an plus tard à son fils et ancien élève du Bauhaus: «L'activité est
toujours aussi intense au Bauhaus, il ne serait sinon plus ce qu'il est; et
quiconque y travaille doit participer même s'il n'en a pas envie»[36].

Klee n'en avait plus envie. Il entama des pourparlers avec différentes académies et fut nommé à Düsseldorf en 1930. Dessau lui proposa
alors de meilleures conditions de travail, des décharges surtout. Mais
Klee refusa catégoriquement cette offre, car une réduction de son activité
était, dans son esprit, inconciliable avec l'idée même du Bauhaus.

Dans sa lettre à Lily du 24 juin 1930, il tira de ces dix années de travail à Weimar et à Dessau la conclusion suivante: «Le travail au Bauhaus
est facile, si l'on ne se sent pas en tant que peintre obligé de produire. En
ce moment cela paraît facile. Et comme cet état est passager, je m'en
sens tout à fait bien. La charge serait en fait assez légère. Si je pouvais la
céder à quelqu'un qui ne serait pas obligé de travailler «à côté», je ferais
un heureux. Mais alors ce ne serait pas un artiste et cela ne conviendrait
pas. Il faut quelqu'un qui utilise ses forces mieux que moi. L'âge joue
dans cette affaire un rôle secondaire»[37].

En automne 1931, il commença à enseigner à Düsseldorf avec qua-

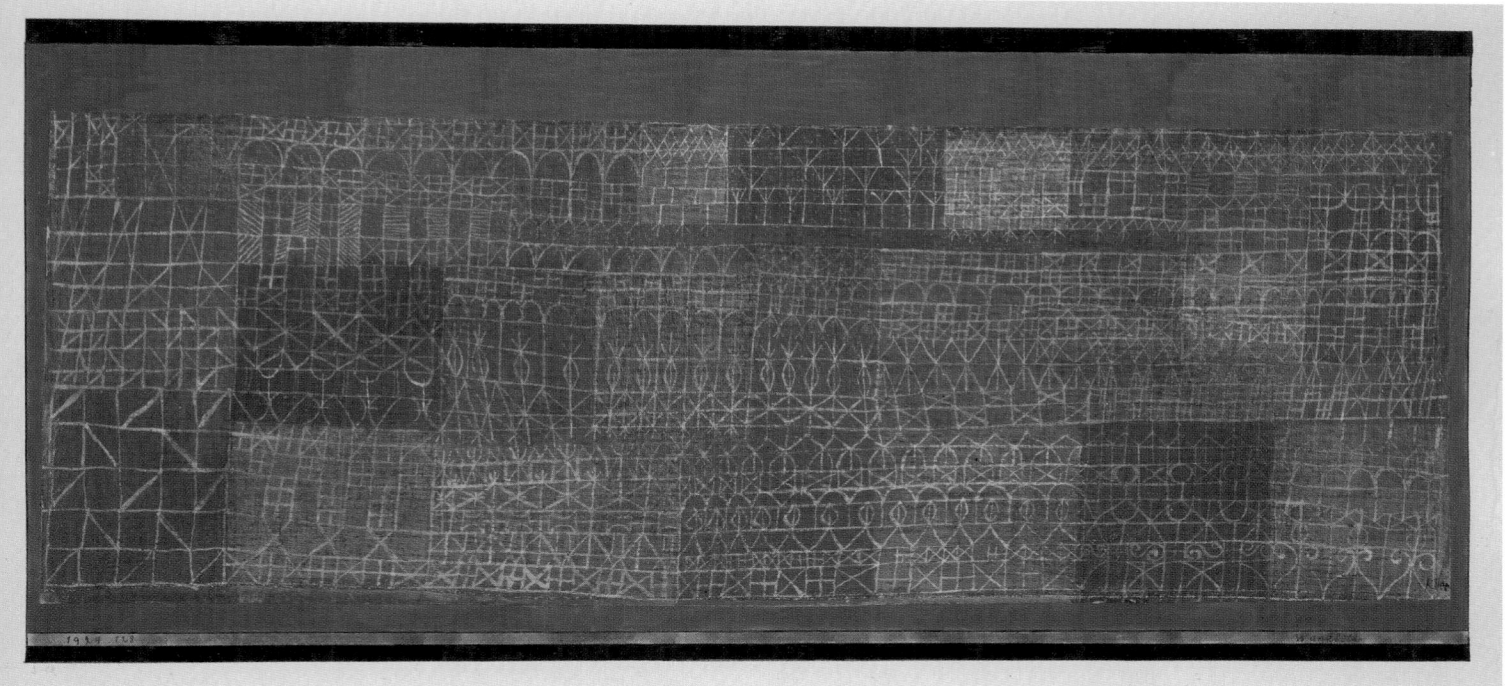

tre étudiants. Ce n'est qu'en 1933 qu'il trouva un appartement pour Lily et pour lui. Quelques jours avant le déménagement il reçut son avis de licenciement. En décembre, le couple Klee émigrait en Suisse.

Klee avait accepté la nomination au Bauhaus après son premier grand succès.

Aux expositions de 1917 où il avait beaucoup vendu, succéda la grande rétrospective de 1920 chez Goltz, son marchand de tableaux à Munich; en 1920 aussi parurent deux monographies suivies d'une troisième l'année d'après. Il s'était approprié différentes formes d'art qu'il allait encore travailler davantage dans les dix années à venir. Même s'il avait pris conscience, depuis 1914, d'être véritablement peintre, il n'abandonnait pas pour autant le dessin qui restait l'une des composantes essentielles de son œuvre. Il resta fidèle à la combinaison de diverses techniques et en ajouta d'autres dans les années qui suivirent. C'est pourquoi l'on trouve rarement avec ses tableaux des indications traditionnelles telles que «huile sur toile» ou bien «aquarelle».

La nature du support, elle aussi, restait toujours un élément important de l'œuvre, comme nous l'avons déjà montré pour le tableau: *Tapis du souvenir* de 1914 (repr. p. 29).

Klee reprit en partie la formule de ce tableau en 1922 lorsqu'il peignit *Dieu d'une forêt nordique* (repr. p. 51).

L'utilisation de tons mauves, verts et jaunes rend le tableau très sombre. Le tableau est parsemé de x et semble être divisé en petits carrés; mais ces carrés ne se distinguent pas obligatoirement par leur couleur les uns des autres. Au centre se dessine à partir de formes géométriques très nettes, un visage que l'on ne distingue toutefois qu'à une certaine distance; ce visage rappelle un peu le cubisme d'un Pablo Picasso ou d'un Georges Braque. Le titre explique que le visage surgisse ainsi mystérieusement du fond sombre.

Mais deux aquarelles, peintes la même année, sont d'une concep-

Tableau mural, 1924, 128
Wandbild
Aquarelle sur mousseline, fond de couleur à la colle, sur papier et carton, 25,4 x 55,1 cm
Berne, Kunstmuseum, Fondation Paul Klee

1923./21. Puppen theater

Séparation du soir, 1922, 79
Scheidung abends
Aquarelle, 33,5 x 23,5 cm
Berne, Collection Felix Klee

Théâtre de marionnettes, 1923, 21
Puppentheater
Aquarelle sur fond de craie et de colle, sur pa-
pier d'emballage et carton, 52 x 37,6 cm
Berne, Kunstmuseum, Fondation Paul Klee

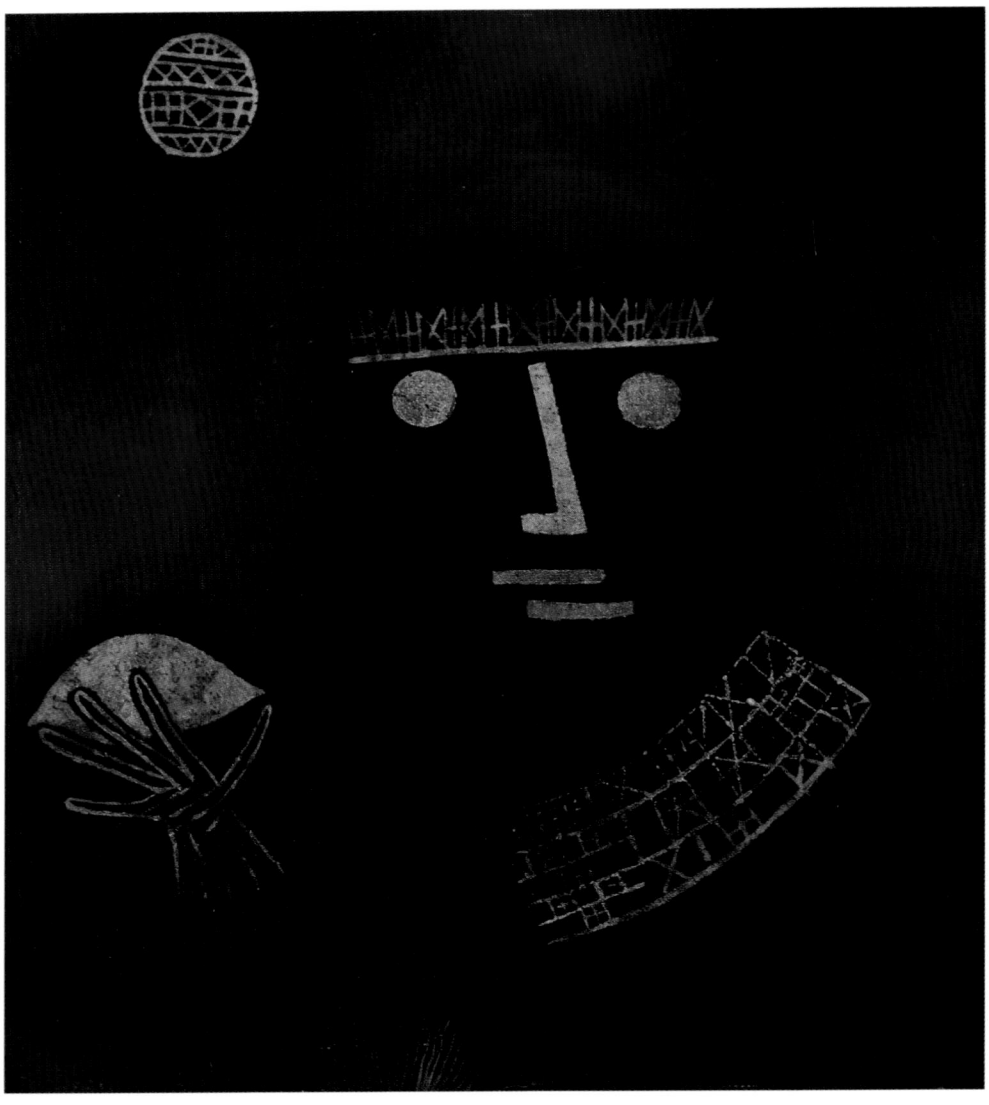

tion toute différente. Elles sont à rapprocher de son enseignement au Bauhaus. S'inspirant probablement des volumes illustrés de Johannes It-ten, Klee réalisa deux tableaux sur lesquels, à des bandes de couleurs, se superposent ces flèches qui furent longtemps caractéristiques de sa ma-nière. Seuls les titres restituent à ces compositions abstraites un contenu concret. *Séparation du soir* (repr. p. 57) est un assemblage de bandes de couleur horizontales; elles sont d'un brun soutenu en bas du tableau et vont en s'éclaircissant vers le haut, en passant par l'ocre jusqu'au jaune pâle presque blanc. Ces quatre bandes occupent un tiers de l'espace. Les deux autres tiers sont dominés par des bandes mauves qui, sombres et in-tenses en haut, passent en l'espace de sept bandes à une teinte de plus en plus claire. La huitième bande, très pâle, peut encore être inclue dans les bandes mauves. Deux flèches verticales mauve foncé et ocre se dirigent l'une vers l'autre et sont séparées par la bande du milieu, la sixième que l'on parte du haut ou du bas. Le titre de cette aquarelle parfaitement abs-traite évoque un coucher de soleil. On discerne encore l'horizon, le ciel se teinte déjà de mauve, seule une étroite bande de lumière éclaire la terre avant de disparaître bientôt. *Lieu visé* (repr. p. 46) est conçu à partir de moyens semblables.

Prince noir, 1927, L 4 (24)
Schwarzer Fürst (Prinz)
Huile sur détrempe blanche, toile vernie noire, sur bois, 33 x 29 cm
Düsseldorf, Kunstsammlung Nordrhein-Westfalen

Le poisson rouge, 1925, R 6 (86)
Der Goldfisch
Couleurs à l'huile et à l'eau sur papier et carton, 48,5 x 68,5 cm
Hambourg, Kunsthalle

A l'opposé de ceci s'épanouit dans *Théâtre de marionnettes* (repr. p. 56), créé au début de 1923, «l'art enfantin» dans toute sa splendeur. *Harmonie de carrés rouges, jaunes, bleus, blancs, et noirs* (repr. p. 53), l'un des tableaux entièrement abstraits de Klee, mais aussi *Le funambule* (repr. p. 50) datent également de cette année-là.

Le funambule illustre bien l'une des techniques particulières à Klee, le dessin à l'huile, qu'il avait développée à Weimar. Avec une feuille recouverte de peinture à l'huile noire il décalquait un dessin sur une autre feuille de papier ou sur tout autre support. Les lignes ainsi décalquées paraissent légèrement estompées, ou effilochées, et à côté d'elles se dessinent par impression des taches sombres, un peu effacées. Ensuite venait l'aquarelle, où domine le rose, qu'il bordait, en haut et en bas, de bandes de nuages gris.

Il parvint à associer des formes géométriques et une représentation figurative, la négation de l'écriture artistique et la représentation de soi dans un autoportrait qu'il réalisa en 1925, *monsieur Perlenschwein (Perlecochon)* (repr. p. 54). Klee utilisa pour ce tableau comme pour d'autres tableaux de cette époque la technique de la pulvérisation: il recouvrait des parties de la feuille avec des pochoirs et pulvérisait l'aquarelle sur

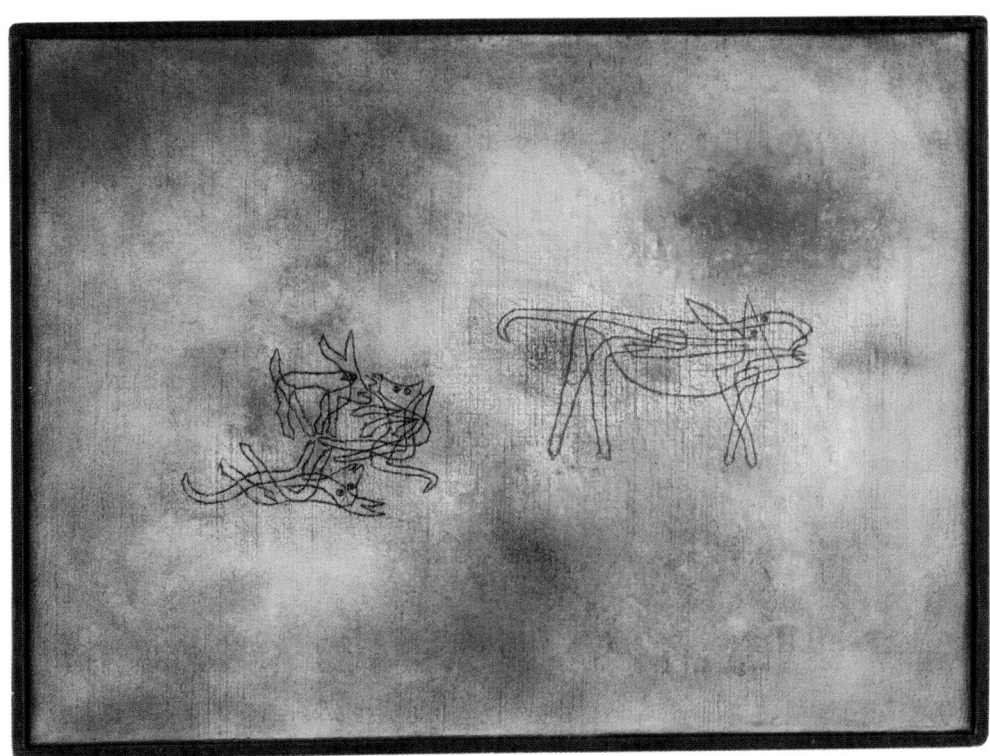

«La couleur c'est d'abord la qualité. Ensuite elle est densité, car elle n'a pas seulement une intensité mais aussi un degré de clarté. Troisièmement elle est encore mesure, car elle a en dehors des valeurs précédentes ses limites, son amplitude, son extension. Le clair-obscur est d'abord densité, il est aussi mesure dans son extension ou ses limites. Mais la ligne n'est que mesure.»
Paul Klee, Exposé de janvier 1924

Elle hurle, nous jouons, 1928, P 10 (70)
Sie brüllt, wir spielen
Huile sur toile, cadre original, peint,
43,5 x 56,5 cm
Berne, Kunstmuseum, Fondation Paul Klee

les endroits non recouverts. Sur ce portrait en rose et gris dominent les yeux de forme carrée, traités avec des couleurs opaques, et dont le droit est devenu par glissement un losange. En représentant ainsi ces yeux, Klee s'appuyait sur l'essai paru en 1886 du physicien et physiologiste Ernst Mach (1838–1916) «L'analyse des sensations et la relation du physique au psychique». S Klee connaissait ce texte depuis 1905. Les théories de Mach et celles du psychologue Friedrich Schumann (1863–1941), qui en étaient le prolongement, furent diffusées au Bauhaus essentiellement à travers l'enseignement de Klee. Pour *monsieur Perlenschwein* il s'appuya directement sur les recherches de Mach. Mach avait montré que le carré et le losange, bien que géométriquement identiques, n'étaient pas perçus comme tels. Le losange paraissait plus dynamique et plus grand que le carré, plus statique. Klee corrigea cette impression en peignant l'œil carré un peu plus grand que l'œil en losange.

Le poisson rouge (repr. p. 59), exécuté peu de temps avant, forme un vif contraste avec cette aquarelle froide basée sur les principes psychologiques de la perception. Dans l'eau d'un bleu profond (le fond) se trouve au centre du tableau le poisson rouge tacheté, avec ses courtes nageoires rouges, sa queue rouge et son œil rouge. Il est entouré de plantes aquatiques bleues et des vagues que font les petits poissons rouges en prenant la fuite devant le gros poisson lumineux. Le bleu des plantes et le rouge des poissons se transforment par endroit en mauve, ce qui est leur couleur complémentaire.

Ce sont des tableaux comme celui-là, qui, à l'époque déjà, valurent à Klee la célébrité. Ce ne sont pas les œuvres destinées à illustrer une théorie, comme c'est le cas pour *monsieur Perlenschwein*. En ce qui concerne le *Poisson rouge*, libre cours est laissé aux interprétations: «Avec l'aisance d'un Dieu il fend l'élément bleu . . . le Poisson rouge . . . une merveille de grandeur et de beauté. Tout lui obéit, tout est

Eclair coloré, 1927, J 1 (181)
Bunter Blitz
Huile sur toile, collé sur carton et grille en bois, cadre d'origine, peint, 50 x 34 cm
Düsseldorf, Kunstsammlung
Nordrhein-Westfalen

Quartier du temple de Pert, 1928, T 10 (200)
Tempelviertel von Pert
Aquarelle, plume et encre de Chine sur gaze,
fond de plâtre verni, carton, bord à la gouache,
environ 27,5 x 42 cm
Hanovre, Musée Sprengel

pour lui ici . . . un symbole de l'univers dans lequel Klee, poète et peintre, s'inscrit»[38]. Ou encore: «Persistant dans un immobilisme transitoire et chargé d'énergie contenue, le poisson merveilleux et incandescent éclaire le bleu profond de ce monde crépusculaire, vers lequel s'enfuient les petits poissons rouges»[39].

En 1928 Klee se résolut à entreprendre un voyage en Egypte. Mais ce pays ne l'impressionna pas outre mesure, comme en témoignent des lettres à Lily: «J'avais rapporté de Tunis des impressions toutes différentes et je suis convaincu que Tunis est beaucoup plus pur. Les mosquées de Kairouan prouvent même que Tunis a toujours été plus pur»[40]. Il intégra ses nouvelles impressions dans des œuvres très abstraites où dominent les superpositions de lignes. Dans *Route principale et routes secondaires* de 1929 (repr. p. 62), des lignes verticales plus ou moins inclinées forment, avec des bandes horizontales de largeur variable et de teintes différentes, un réseau mouvementé. L'inclinaison et le dégradé des lignes suggèrent un paysage en perspective. L'harmonie entre les couleurs pâles et comme estompées se ravive sur le «chemin principal» pour former un rayon de lumière. Ce rayon va mourir dans le bleu de la bande transversale au-dessus de «l'horizon». Après ce voyage il créa aussi des œuvres dont la construction est parfaitement symétrique; il réutilisa ce modèle graphique de base pour *Mesure individuelle des niveaux*, daté de 1930 (repr. p. 71). On peut voir à l'origine de ce tableau une citation extraite de «Morphologie créatrice», le traité qu'il avait préparé pour son enseignement au Bauhaus: «La part individuelle de cet exemple nous montre quelques individus, qui se distinguent les uns des autres sans respect. Et là où ils s'éloignent, la jonction repose sur des chiffres individuels . . . Cet exemple est pratiquement le symbole de l'individu heureux ou des individus heureux qui peuvent, dans une large mesure s'intégrer aux lois structurales, sans pour autant porter atteinte à leur caractère individuel»[41].

C'est durant la période de Düsseldorf que Klee, qui avait travaillé

Route principale et routes secondaires,
1929, R 10 (90)
Haupt- und Nebenwege
Huile sur toile, 83 x 67 cm
Cologne, Musée Ludwig

Ad Parnassum, 1932, X 14 (274)
Huile sur toile, points et lignes «imprimés»,
100 x 126 cm
Berne, Kunstmuseum

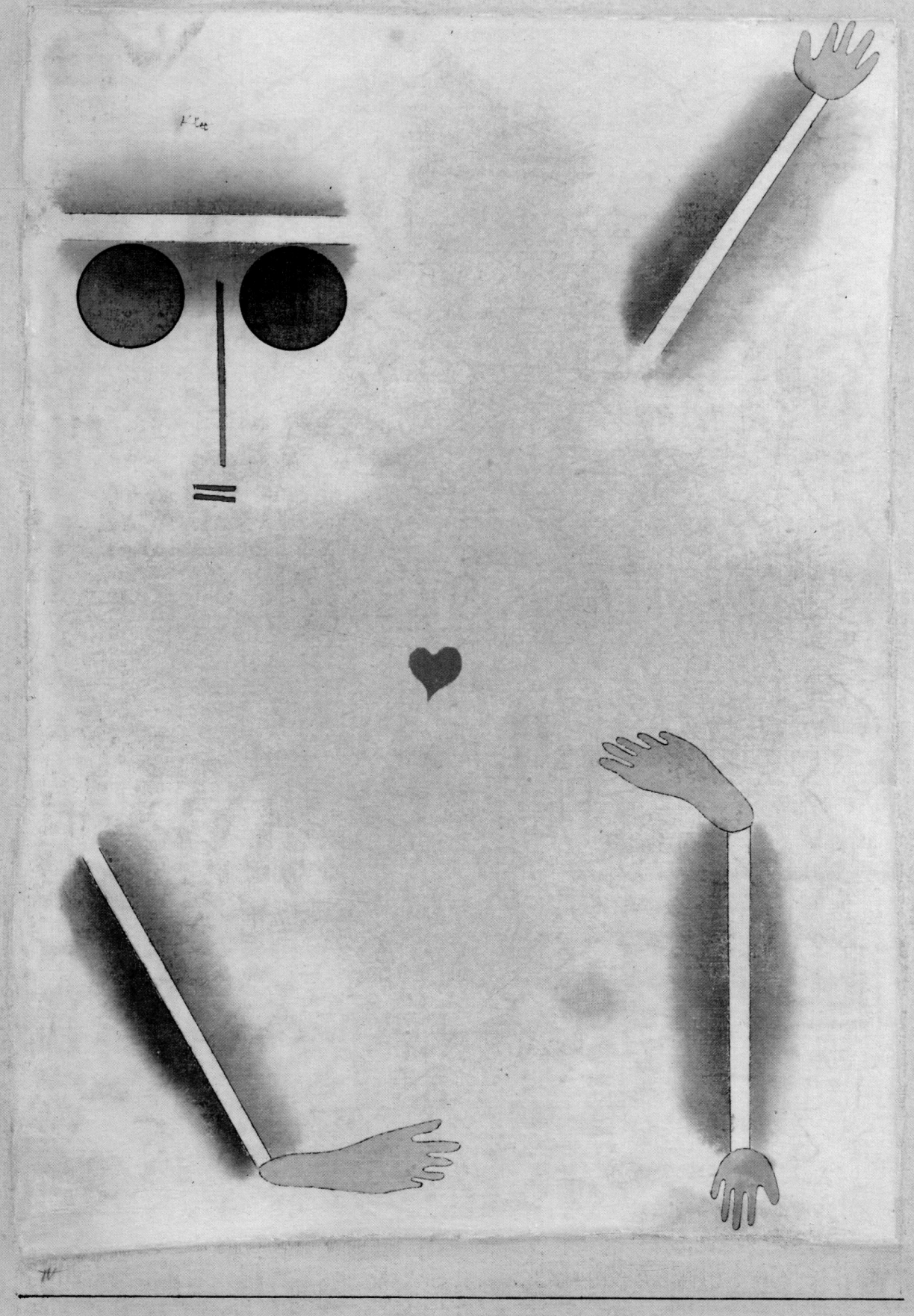

jusque-là sur de petits formats, réalisa son plus grand tableau. *Ad Parnassum* (repr. p. 64/65) qui date de 1932 réunit plusieurs techniques et plusieurs principes de composition. Il s'agit à première vue de grandes lignes traversées par une mosaïque. Des grilles très serrées et de différentes couleurs dans lesquelles sont imprimés des points blancs, recouverts en partie d'autres couleurs. Quelques grandes lignes, imprimées elles aussi, permettent de distinguer dans ce champ de couleurs scintillant une composition architectonique. Le titre indique qu'il s'agit là du siège d'Apollon et des Muses. Un cercle orange, fait d'une multitude de points assemblés constitue, grâce à sa couleur homogène, une plage calme. Situé au-dessus du «toit» du Parnasse, il représente vraisemblablement le soleil.

Malgré le scintillement des couleurs, il émane de ce tableau une sérénité absolue. C'est l'époque où Klee était parvenu enfin au but qu'il s'était fixé. Il avait un revenu assuré, comme à l'époque du Bauhaus, avec quatre élèves seulement, mais il avait, et de loin, beaucoup moins d'obligations qu'à Weimar et à Dessau. Il pouvait ainsi, libre de soucis financiers, se consacrer essentiellement à son art. Il était parvenu enfin au «Parnasse» auquel il aspirait.

Pavillon pavoisé, 1927, K 5 (15)
Beflaggter Pavillon
Huile sur carton, 40 x 60 cm
Hanovre, Musée Sprengel

Ayant tête, mains, pieds et cœur, 1930, S 4 (214)
Hat Kopf, Hand, Fuss und Herz
Aquarelle et plume sur coton, carton sur contre-plaqué, 41,5 x 29 cm
Düsseldorf, Kunstsammlung Nordrhein-Westfalen

La position des jumeaux, 1929, 3 H 21 (321)
Die Stelle der Zwillinge
Aquarelle sur Ingres et carton, 27,5 x 30,6 cm
Berne, Kunstmuseum, Fondation Paul Klee

Etrange végétal, 1929, 3 H 17 (317)
Pflanzlich-seltsam
Couleurs à l'eau sur aquarelle, papier préparé sur aquarelle, monté
sur carton, 33,1 x 25,6 cm
Berne, Kunstmuseum, Fondation Paul Klee

Rythme plus sévère et plus libre, 1930, O 9 (59)
Rhythmisches strenger und freier
Gouache sur papier, 47 x 61,5 cm
Munich, Städtische Galerie im Lenbachhaus

Mesure individuelle des niveaux, 1930, R 2 (82)
Individualisierte Höhenmessung der Lagen
Pastels liés à la colle, sur Ingres noir, monté sur carton,
46,8 x 34,8 cm
Berne, Kunstmuseum, Fondation Paul Klee

1930. R.2.   individualisierte Höhenmessung der Lagen

S Cl   IX

«Rayé des listes»

Le 30 janvier 1933, Adolf Hitler devenait chancelier du Reich. Paul Klee écrivait le soir même à sa femme une lettre dans laquelle il analysait la nouvelle situation au Reichstag: «C'est un cabinet «démocratique» qui peut par conséquent compter sur une majorité avec la droite du Parlement tant qu'il ne prend pas de mesures trop radicales». Mais il terminait sa lettre en exprimant cette crainte «de voir Hitler échapper à Papen et déraper ensuite». Il justifiait ainsi ses réflexions: «On a là-dessus ses idées propres et on essaie de prendre position . . .», puis constatait avec résignation: «qu'il y ait encore quelque chose à faire, je n'y crois plus. Le peuple est trop incompétent en matière de réalité, trop bête dans ce domaine»[42].

Klee observait certes avec appréhension l'évolution politique en Allemagne et était conscient de l'éventualité d'un coup d'Etat; il fut d'ailleurs très vite la cible de critiques très violentes, mais il n'en tirait encore pour lui aucune conclusion. Deux jours après paraissait dans le journal national-socialiste «Die Rote Erde» (La terre rouge) un article qui désignait l'Académie de Düsseldorf comme «un fief d'artistes juifs». On pouvait y lire entre autres: «Klee, célèbre déjà comme professeur au Bauhaus de Dessau fait donc son entrée. Il raconte à qui veut l'entendre que dans ses veines coule du pur sang arabe, alors qu'il est un Juif de Galicie»[43]. Klee avait manifestement lu cet article puisqu'il écrivait le jour même à Lily: «J'éprouve en ce moment une sensation étrange . . . Mais pourquoi faut-il que je lise d'autres journaux que les nôtres!»[44]. Et il terminait sa lettre en annonçant de façon abrupte que «son supérieur était un professeur hitlérien de Hanovre», ce qui signifiait en d'autres termes que Walter Kaesbach (1879–1961), jusqu'alors directeur de l'Académie, avait été limogé. Mais même à ce moment-là, Klee ne voyait pas encore son existence menacée. Il annonçait quelques jours plus tard à Lily que l'Académie accueillait avec sérénité les changements au sein du ministère de la culture et il terminait sa lettre par ces mots: «Mais que pouvons-nous y comprendre, nous autres?»[45].

Il comprenait visiblement beaucoup de choses. Mais il refoulait ses craintes et espérait, contre toute vraisemblance, pouvoir conserver son poste.

Et même la perquisition qui eut lieu au mois de mars chez lui en son absence et en celle de Lily ne l'empêcha pas de louer à Düsseldorf une maison relativement chère et de quitter celle qu'il avait à Dessau. Il écrivit de Düsseldorf à Lily le 6 avril: «J'avoue que l'incertitude concernant les fonctions et le salaire peut être excitante. Mais cette excitation

Danses de la peur, 1938, G 10 (90)
Tänze vor Angst
Aquarelle noire sur Ingres et carton,
48 x 31 cm
Berne, Kunstmuseum, Fondation Paul Klee

Rayé des listes, 1933, G 4 (424)
Von der Liste gestrichen
Huile sur papier huilé transparent, 31,5 x 24 cm
Berne, Collection Felix Klee

L'homme marqué, 1935, R 6 (146)
Gezeichneter
Huile et pastel sur gaze, fond pâteux,
30,5 x 27,5 cm
Düsseldorf, Kunstsammlung
Nordrhein-Westfalen

n'apporte rien, au contraire, elle rend malade . . .». Il prit clairement position en ce qui concerne le «certificat de filiation aryenne»: «si on me le demande officiellement, il faudra que je le produise. Mais prendre de moi-même une aussi grossière initiative me paraît indigne. Car, quand bien même je serais juif et originaire de Galicie, il n'y aurait pas un iota de changé à la valeur de ma personne et de mes œuvres. Je n'ai pas le droit de renier ce point de vue qui est le mien, à savoir qu'un Juif ou un étranger n'est en rien inférieur à un Allemand en général et un Allemand de l'intérieur en particulier parce que sinon je laisserais de moi à jamais un curieux souvenir. Je préfère subir certains ennuis plutôt que de jouer le rôle du personnage tragi-comique s'efforçant d'obtenir la faveur des hommes au pouvoir»[46].

Il fit cette déclaration la veille du jour où fut promulguée la loi qui «rétablissait un corps de fonctionnaires allemand» et qui excluait les non-aryens des postes de fonctionnaires et de fait, par conséquent, les congé-diait sur-le-champ. Conformément au premier décret pour l'application de cette loi qui stipulait que «seul pouvait être fonctionnaire celui qui est allemand ou apparenté par le sang . . .»[47], Klee fut obligé, pour rester à l'Académie, de prouver sa filiation. Il se procura donc les actes de naissance de ses grands-parents. Mais ils ne lui furent pas d'un grand secours puisque cette loi précisait encore que pouvaient être renvoyés tous les fonctionnaires «qui, au vu de leurs activités politiques, n'offraient pas la garantie qu'ils étaient prêts à servir l'Etat sans restriction et en toute circonstance»[48].

Cette formulation était une porte ouverte à tous les abus. Le 21 avril 1933, Klee notait dans son agenda: «Ceci prend effet aujourd'hui!»[49].

L'ironie du sort voulut que le 14 juin 1935 lui parvint à son adresse bernoise son Certificat d'ascendance. Bien que licencié, il emménagea le 1er mai 1933 avec sa femme dans la maison qu'il avait louée à Düsseldorf.

Comme beaucoup d'autres qui pourtant avaient adopté à l'égard de l'Etat nazi une attitude critique ou même le combattaient, Klee avait gardé de fatales illusions. Klaus Mann en parle ainsi dans ses mémoires: «Ce spectre ne survivra pas longtemps. Quelques semaines, quelques mois peut-être, après quoi les Allemands reviendraient à la raison et se débarrasseraient de ce régime honteux»[50].

En automne cependant les Klee se décidèrent à quitter Düsseldorf. Ils ne pouvaient plus non plus, à long terme, payer le loyer de la maison. Un premier projet d'aller s'installer à la campagne tout en restant en Allemagne, fut vite abandonné. Le directeur de galerie Alfred Flechtheim (1878–1937) qui, succédant à Goltz, avait repris le contrat exclusif avec Klee, ne put continuer à honorer ce contrat, étant lui-même taxé de juif. Avec son accord et en sa présence, Klee signa en octobre à Paris un nouveau contrat, concernant l'ensemble de ses œuvres, avec Daniel Henry Kahnweiler (1884–1979). Le 23 décembre, Klee retournait définitivement à Berne. La veille du départ, il écrivait encore à son fils: «. . . On m'oblige à partir. Je quitterai demain soir vraisemblablement cet endroit . . . J'ai vieilli durant ces dernières semaines. Mais je ne veux pas faire preuve d'amertume, ou alors que cette amertume soit tempérée d'humour»[51].

Klee a, durant sa dernière année passée en Allemagne, beaucoup peint et dessiné. Le catalogue de ses œuvres compte, en 1933, 482 numé-

Buste d'un enfant, 1933, D 20 (380)
Büste eines Kindes
Pastels à la cire, sur mousseline et contre-pla-
qué, cadre d'origine, 50,8 x 50,8 cm
Berne, Kunstmuseum, Fondation Paul Klee

ros. L'un des derniers tableaux de cette année-là exprime sa tristesse.
Après la révolution manquée de 1919, il avait traduit dans son autoportrait *Méditation* (repr. p. 41) la distance qu'il avait prise par rapport à la
politique et à la réalité, distance qu'il avait formulée dans sa célèbre
phrase: «Ici-bas je ne suis guère saisissable». De la même façon il peignit alors un autre autoportrait (repr. p. 72). Comme dans *Méditation* les
yeux sont fermés. Les lèvres sont serrées. Mais les grandes surfaces d'où
émanait une impression de sérénité ont fait place à un enchevêtrement
qui trahit un sentiment d'insécurité. A gauche du visage, se prolonge jus-
que sur le front et la joue un grand X. Le titre *Rayé des listes* nous en
donne le sens. Klee n'avait pas seulement perdu son poste de professeur
à l'Académie, il avait également perdu en Allemagne toute sa valeur d'artiste. Il ne lui restait alors plus qu'à partir. «L'amertume» exprimée sur
ce tableau n'est pas «tempérée d'humour». Les couleurs sombres du tableau, l'expression du visage laissent deviner la tristesse et le désespoir
qu'il ne formula jamais dans ses écrits. Il préférait, lorsqu'il écrivait, se
retrancher derrière des lieux communs.

Des sentiments analogues transparaissaient sur le tableau *Buste
d'un enfant* (repr. p. 75), réalisé également dans la deuxième moitié de la
même année mais avant l'autoportrait. Devant un arrière-plan brun, la
tête et les épaules d'un enfant occupent presque tout l'espace. Le visage
rond est traversé de lignes rouges. Des yeux bleus et ronds fixent le spectateur. Une ligne rouge traverse le visage: elle part du front, passe par la

Affligé, 1934, 8
Trauernd
Dessin au pinceau à l'encre de Chine, aquarelle sur papier, monté sur carton,
48,7 x 32,1 cm
Berne, Kunstmuseum, Fondation Paul Klee

REPRODUCTION PAGE 78:
Légende du Nil, 1937, U 15 (215)
Legende vom Nil
Pastels sur coton et jute, 69 x 61 cm
Berne, Kunstmuseum, Fondation Hermann et Margrit Rupf

REPRODUCTION PAGE 79:
L'être gris et la côte, 1938, J 5 (125)
Der Graue und die Küste
Couleurs à la colle sur jute, 105 x 71 cm
Berne, Collection Felix Klee

EN FACE:
Le musicien, 1937, T 17 (197)
Musiker
Aquarelle sur papier à dessin, avec fond de craie et de colle, 27,7 x 20,3 cm
Berne, Collection Felix Klee

bouche et descend jusqu'aux épaules, partageant le visage en deux moitiés. Le visage et le regard semblent vouloir transmettre au spectateur la tristesse de celui qui sait.

Les Klee louèrent à Berne un trois pièces. Ils renouèrent avec les amis de leur jeunesse. Klee peignait, même si c'était moins que les années précédentes. En 1934 il répertoria 219 œuvres, l'année suivante 148 seulement. A Noël de l'année 1934, il offrit à Lily le tableau *Affligé* (repr. p. 76) qui, à l'instar du buste d'enfant et de l'autoportrait de 1933, témoigne d'une souffrance personnelle. Sur un quadrillage de lignes très fines, rappelant le dessin d'une mosaïque, passe une ligne unique qui dessine le buste d'un homme. La tête est penchée en avant, les yeux sont fermés, les commissures des lèvres tombantes. Il semble que Klee n'ait pas été très heureux à Berne. Il avait fait pourtant dès son arrivée une demande de naturalisation. On lui répondit qu'il lui fallait attendre un délai de cinq ans. L'année suivante, il peignit un autre tableau révélateur de son état d'âme et qui rappelle le buste d'enfant de 1933. *L'homme marqué* (repr. p. 74) n'est pas un portrait d'enfant mais présente avec le visage et les yeux ronds des similitudes de forme. Les lignes qui traversent le visage dessinent à plusieurs endroits un x qui «raye l'homme marqué de la liste». Il manquait désormais à Klee les obligations et l'intégration à un contexte plus vaste. La grande rétrospective dont l'inauguration eut lieu le 23 février 1935 à la Kunsthalle de Berne et qui fut exposée ensuite à Bâle et à Lucerne ne lui permit pas de surmonter ce manque. C'est cette année-là que Klee tomba gravement malade. On diagnostiqua d'abord à tort une rougeole. Il souffrait en réalité d'une sclérodermie, une maladie rare dont l'origine est inconnue et qui, après un durcissement de l'épiderme et un désséchement progressif des muqueuses, connaît la plupart du temps une issue fatale.

On peut faire un rapprochement entre le début de cette maladie et sa situation qui lui paraissait alors sans issue. L'année 1936 ne compte que 25 numéros dans son catalogue. Le diagnostic avait été établi entretemps. Dans ses lettres à Lily il évoquait sa maladie sans s'appesantir, mais la perspective de la mort avait eu sur lui au début un effet paralysant. Sa productivité augmenta encore une fois considérablement l'année qui précéda sa mort. Il peignit, en 1937, 264 tableaux, en 1938, 489, c'est-à-dire presque le double et en 1939 il inscrivait 1254 tableaux à son catalogue. C'était bien plus que ce qu'il avait jusque-là produit en une année.

Son style évolua encore une fois. La taille de ses tableaux augmenta progressivement. Il s'accommodait de l'inconfort du petit logement où il disposait de moins de place que dans les ateliers du Bauhaus ou à Düsseldorf. Les thèmes choisis continuaient à exprimer la double difficulté de sa situation: son destin personnel et la situation politique en Allemagne; mais son esprit et la joie de peindre la vie rejaillissaient à nouveau. Cela se voit par exemple sur le tableau *Le musicien* (repr. p. 77) réalisé en 1937. Le visage peint à larges traits de pinceau noirs traduit le déchirement intérieur de Klee.

Révolution du viaduc (repr. p. 93) a été interprété comme une œuvre à portée historique. On y a vu une contribution de Klee à l'art antifasciste. Le thème est directement lié à la situation politique en Allemagne. *Légende du Nil* (repr. p. 78) au contraire exprime une attitude positive face à la vie: des rectangles bleus, d'intensité variable, imbriqués

1937 T. 17   Musiker

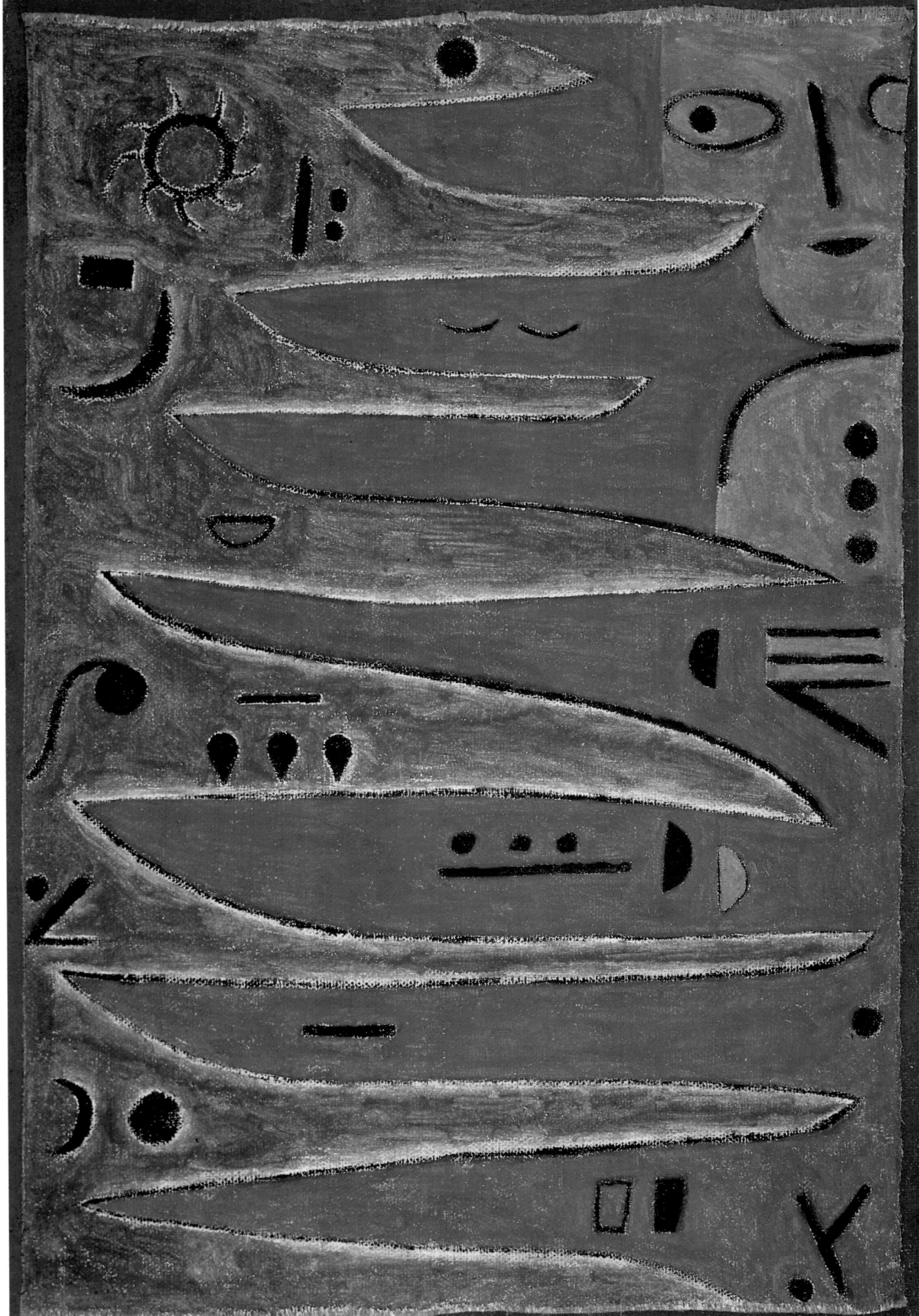

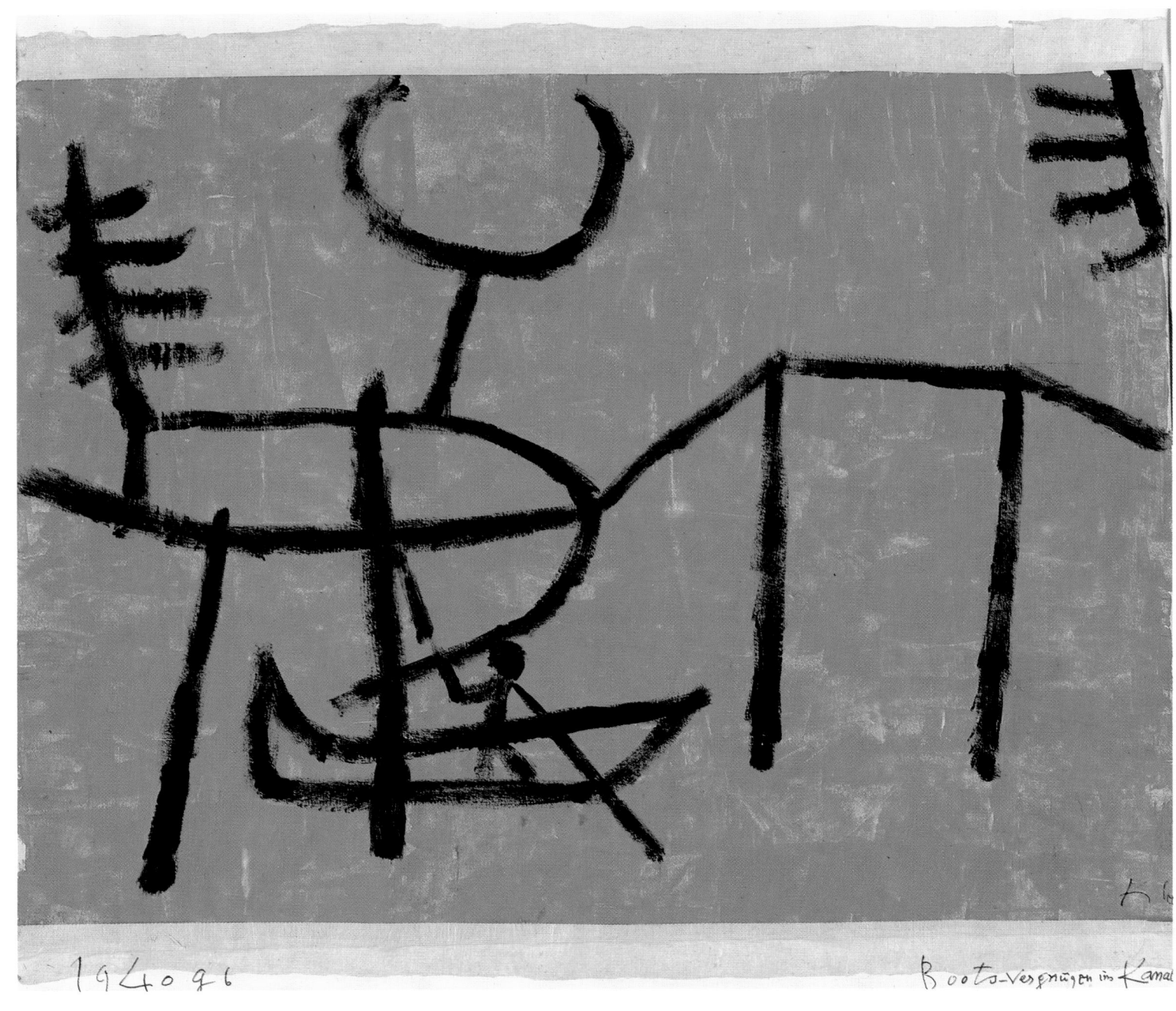

Partie de bateau sur le canal, 1940, G 6 (326)
Bootsvergnügen im Kanal
Couleur à la colle sur papier d'affiche et carton, 37,5 x 49,5 cm
Hanovre, Musée Sprengel

EN FACE:
Flore au rocher, 1940, F 3 (343)
Flora am Felsen
Huile et détrempe sur jute, cadre d'origine, 90 x 70 cm
Berne, Kunstmuseum

REPRODUCTION PAGE 90:
Sans titre (nature morte), 1940
Ohne Titel (Stilleben)
Huile sur toile, 100 x 80,5 cm
Berne, Collection Felix Klee

Commentaire de tableau:
Révolution du viaduc

1937, R 13 (153), Huile sur toile, 60 x 50 cm
Hambourg, Kunsthalle

En 1937, Paul Klee créait l'un de ses tableaux les plus célèbres. Cette œuvre se trouve aujourd'hui à la Kunsthalle de Hambourg. Les critiques sont unanimes pour voir dans ce tableau une œuvre à portée politique et historique, mais leurs interprétations sur sa signification divergent.

C'est en 1937 aussi qu'eut lieu à Munich l'exposition «Art dégénéré». Cinq tableaux à l'huile, neuf aquarelles et trois dessins de Klee y étaient exposés. 102 de ses œuvres furent ensuite saisies et retirées des collections publiques. Klee n'a jamais pris position dans ses écrits sur ces deux actions.

1937 enfin est l'année où Klee se remit à peindre après une interruption d'un an imposée par la maladie. L'œuvre à laquelle, durant cette année-là, il consacra le plus d'énergie fut *Révolution du viaduc*. Il y eut cinq versions autour de ce thème. Nous avons retenu ici la dernière de ces versions. Klee ne l'exposa jamais. C'est en 1940 que le public découvrit le tableau pour la première fois, à l'occasion de l'exposition commémorative de Berne.

Le fond de ce petit tableau rectangulaire est d'un bleu relativement uniforme; il prend par endroits seulement une nuance violette.

Se détachant sur ce fond, des arcades de tailles et de couleurs différentes s'avancent vers nous. Mais au lieu de se présenter à nous dans un alignement régulier, elles forment un assemblage désordonné. L'inégalité de leur

Projet de pont d'autoroute sur la Werra, par Fritz Tamms (L'Art et le 3e Reich, 1941)

taille et la diversité de leurs couleurs viennent accentuer cette impression. Les critiques pensèrent longtemps que Klee avait illustré de cette façon la menace que constituent les mouvements totalitaires.

Les arcades s'avancent ainsi, porteuses de funestes promesses vers le spectateur (Geelhaar), un monde arrivé à maturité se voit piétiné et détruit (Haftmann) et Schmidt y voit la marche fracassante de cohortes brunes.

Werckmeister a, dans un article paru en 1987, mis en doute avec raison, ces interprétations. Les arcades jaunes, oranges, roses et rouges dont les unes sont trapues, les autres

élancées, dont d'autres encore présentent des piliers de diamètres inégaux ne symbolisent pas «un mouvement totalitaire». Ce genre de mouvement a en effet pour caractéristique entre autres, précisément, l'uniformité et le conformisme et exclut toute individualité. Or ce tableau représente manifestement des individus dont aucun n'est semblable à l'autre.

Klee avait intitulé l'avant-dernière version: «Arches de pont qui se singularisent». Ce titre d'un dessin très proche de notre tableau évoque le refus d'un ordre établi. Les ponts avaient pris, grâce à la construction d'autoroutes, une place importante dans l'architecture du national-socialisme. Leurs arches bien alignées et de taille régulière symbolisaient la conformité. Mais les arcades représentées par Klee refusent de jouer ce jeu. Elles se défendent d'être plus longtemps uniquement un maillon de la chaîne et chacune d'entre elles cherche à exister pour elle-même. Chacune pour soi, et nullement au pas, elles viennent à la rencontre du spectateur. Elles sont conscientes de leur supériorité numérique et si elles cherchent à piétiner quelque chose, ce ne peut être que l'ordre qui les avait contraintes à la conformité.

Le tableau, avec la menace qui s'en dégage, est une déclaration de lutte contre ce national-socialisme, qui avait réussi à réprimer tout refus de se laisser mettre au pas et ainsi toute individualité dans l'art.

Paul Klee 1879–1940: sa vie

1879 Paul Klee est né le 18 décembre à Münchenbuchsee, près de Berne, mais est de nationalité allemande car son père, Hans Klee, est allemand. Sa mère, Ida Klee, née Frick, est Suisse. Ils eurent aussi une fille, Mathilde.

1886–1897 Après l'école primaire, Paul Klee fréquente le «Progymnasium» municipal puis «l'Ecole de Littérature» de la ville. Il apprend le violon et devient membre honoraire de l'orchestre.

1898 Après le baccalauréat il part au mois d'octobre à Munich afin d'étudier la peinture à l'Académie des beaux-arts. Il n'y est pas admis et on lui conseille de suivre une préparation à l'école de dessin privée de Heinrich Knirr.

1899 Au cours d'une soirée musicale en décembre, il fait connaissance de la pianiste Lily Stumpf (1876–1946).

1900 En octobre, Klee entre à l'Académie dans la classe de dessin de Franz von Stuck (1863–1928).

1901 Il quitte l'Académie au mois de mars. Avant son départ pour Berne, il se fiance secrètement à Lily Stumpf. D'octobre à mai 1902, il se rend en Italie avec son ami d'étude Hermann Haller.

1903–1905 Il vit chez ses parents à Berne. Il prend des cours de nu, travaille au cycle d'eaux-fortes Inventions, joue dans l'orchestre et écrit des critiques pour le théâtre. En juin 1905 il se rend à Paris, où il voit les œuvres des impressionnistes. Il n'entre cependant pas en contact avec l'art moderne.

1906 Paul Klee épouse Lily Stumpf le 15 septembre. Ils déménagent ensuite à Munich. C'est Lily Klee qui gagne l'argent du ménage en donnant des cours de piano.

1907 Naissance de leur fils, le 30 novembre. Les années suivantes, Klee s'occupe essentiellement de l'éducation de son fils et du ménage.

1910 Le Kunstmuseum de Berne organise une première exposition.

1911 En janvier, Klee fait la connaissance d'Alfred Kubin, en automne d'August Macke et de Wassily Kandinsky. Il est en contact avec le groupe «Der blaue Reiter».

1912 A la seconde exposition du «Blaue Reiter» dans la galerie Goltz, Klee expose 17 tableaux. Voyage à Paris avec Lily.

1914 En avril, voyage à Tunis avec Louis Moilliet et August Macke. Début de la première guerre mondiale au mois d'août. Klee pense qu'il devra rejoindre l'armée.

Paul Klee, Berne 1892

Hans, Lily et Paul Klee, Berne 1906

Paul Klee, Munich 1911

Félix Klee avec «Fritzi», Paul et sa sœur Mathilde Klee, Weimar 1922

Wassily et Nina Kandinsky, Georg Muche,
Paul Klee, Walter Gropius, 1926.

1916 Est appelé dans l'armée allemande. Une exposition de ses œuvres a lieu à la galerie «Der Sturm» à Berlin, au cours de laquelle, pour la première fois, il vend bien.

1918 Peu avant Noël, Klee est dispensé du service militaire et rejoint Munich.

1920 En mai, rétrospective chez Hans Goltz à Munich avec 362 de ses œuvres. Parution de deux monographies. Il est nommé au mois d'octobre au Staatliches Bauhaus à Weimar.

1924 Fermeture en décembre du Bauhaus à Weimar.

1925 La ville de Dessau accueille le Bauhaus. Parution de «Pädagogisches Skizzenbuch» (Livre d'esquisses pédagogiques) qui constitue le second volume des livres du Bauhaus.

1926 Klee expose à la première exposition des surréalistes à Paris.

1929 En l'honneur de son cinquantième anniversaire a lieu une grande exposition au Palais du Prince impérial à Berlin. Son directeur de galerie, Alfred Flechtheim, expose en même temps et à Berlin aussi 150 de ses œuvres.

1930 Il est nommé à l'Académie des beaux-arts de Düsseldorf. Il rompt son contrat avec le Bauhaus en automne.

1933 Est congédié en avril sans préavis. En décembre, il émigre avec Lily en Suisse.

1935 Une grande exposition de ses œuvres est organisée à la Kunsthalle de Berne.

1936 La maladie grave dont Klee est atteint se révèle être une sclérodermie. Il ne peint cette année-là que 25 tableaux.

1937 Kandinsky et Picasso vont voir Klee à Berne. L'exposition «Art dégénéré» à Munich présente 17 œuvres de Klee; 102 tableaux sont saisis et retirés des collections publiques allemandes.

1940 Klee meurt le 29 juin à Locarno-Muralto juste avant d'obtenir la nationalité suisse. De grandes expositions commémoratives sont organisées à Berne et à New York. Ses cendres seront inhumées en 1946 au cimetière de Schosshalden à Berne.

Klee dans son atelier au Bauhaus, Weimar 1924

Paul Klee, Berne 1940

Notes

1 Leopold Zahn: Paul Klee, Leben, Werk, Geist, Potsdam 1920, page 5.
2 Paul Klee: Tagebücher 1898–1918. Nouvelle édition critique de Wolfgang Kersten, Berne 1988. Les paragraphes ont été numérotés par Klee lui-même. Ces numéros sont mentionnés dans le texte.
3 Will Grohmann: Paul Klee, Stuttgart 1954.
4 Jürgen Glaesemer: Paul Klee, Handzeichnungen, 3 vol. Berne 1973–1979; Paul Klee. Die farbigen Werke im Kunstmuseum Bern, Berne, 1976 (dans les citations suivantes: Glaesemer 1976), Christian Geelhaar (édit.): Paul Klee-Schriften, Cologne 1976 (dans les citations suivantes: Ecrits).
5 O. K. Werckmeister: Versuche über Paul Klee, Francfort 1981 (volume réunissant la version revue des essais: Walter Benjamin, Paul Klee und «der Engel der Geschichte» 1976; The Issue of Childhood in the Art of Paul Klee, 1977; Die neue Phase der Klee-literatur, 1978; Klee im Ersten Weltkrieg, 1979 (citations suivantes: Werckmeister 1981); Kairouan. Livre de Wilhelm Hausenstein sur Paul Klee dans: E. G. Güse (Editeur): Die Tunisreise, Stuttgart 1982; Von der Revolution zum Exil, dans: Paul Klee, Leben und Werk, Stuttgart 1987 (citations suivantes: Werckmeister, 1987); «The Making of Paul Klee's Career 1914 – 1920», Chicago 1989 (citations suivantes: Werckmeister 1989).
6 Voir remarque 2.
7 Werckmeister 1981, page 132.
8 Citation d'après: Werckmeister 1981, page 173, remarque 39.
9 Félix Klee (Editeur): Paul Klee. Briefe an die Familie 1893–1940, 2 volumes, Cologne 1979 (citations suivantes: correspondance).
10 Ainsi par exemple Tilman Osterwold: Ein Kind träumt sich, Stuttgart 1979.
11 Annonce de l'édition «Der blaue Reiter» aux éditions P. Piper et Cie, Munich 1912, cité d'après Paul Vogt: Der blaue Reiter, Cologne 1977, page 123.
12 Die Alpen, 6, 1912, page 302; cité d'après les Ecrits, p. 97 et suivantes.
13 Cité d'après: Les Ecrits, p. 127.
14 Cité d'après: Glaesemer 1976, p. 29.
15 Will Grohmann: Paul Klee, Stuttgart 1965, page 55.
16 Cité d'après Ernst-Gerhard Güse «Skizzen als Vollendung. August Macke in Tunis», dans: August Macke, Gemälde, Aquarelle, Zeichnungen, Münster 1986, page 103.
17 Cité d'après Glaesemer 1976, page 33.
18 Idem.
19 O. K. Werckmeister a fait œuvre de pionnier avec son essai: «Klee im Ersten Weltkrieg», 1979, remanié pour la parution en livre et comprenant les récentes découvertes (1989).
Ce sont essentiellement ses idées que l'on retrouve dans ce chapitre. Je tiens à lui exprimer ici ma reconnaissance pour ses suggestions.
20 Correspondance, page 482.
21 Idem.
22 Werckmeister 1981, page 32 et suivante.
23 A Kandinsky, 18 août 1914, cité d'après Werckmeister 1989, page 260, remarque 9.
24 17 octobre 1914, cité d'après Werckmeister 1989, page 261, remarque 21.
25 Werckmeister 1981, page 87.
26 Cité d'après Glaesemer, page 48.
27 Werckmeister 1981, page 63.
28 Cité d'après: «Paul Klee, Das Frühwerk» 1883–1922, catalogue de l'exposition à la Städtische Galerie im Lenbachhaus, Munich 1980, page 93.
29 Cité d'après: «Paul Klee als Zeichner 1921– 1933», catalogue d'exposition, Berlin, Munich, Brême 1985/86 (citations suivantes: Klee als Zeichner), page 26.
30 Walter Gropius: «Ziele und Grundsätze des Bauhauses», cité d'après: Giulio C. Argan: «Die Kunst des 20. Jahrhunderts 1880 – 1940», Propyläen Kunstgeschichte Volume 12, Francfort, Berlin, Vienne 1985, page 89.
31 Idem.
32 Correspondance page 984.
33 Cité d'après: «Klee als Zeichner», page 29.
34 Brouillon de lettre à Walter Gropius, cité d'après: «Klee als Zeichner», p. 168 et suivantes.
35 Correspondance, page 1067.
36 Correspondance, page 1098.
37 Correspondance, page 1129.
38 Will Grohmann: «Der Maler Paul Klee», Cologne 1966, page 100.
39 Christian Geelhaar: «Paul Klee, Leben und Werk», Cologne 1977, page 57.
40 Correspondance, page 1074.
41 Cité d'après: Glaesemer 1976, page 149.
42 Correspondance, page 1225.
43 Cité d'après: Werckmeister 1987, page 39 et suivante.
44 Correspondance, page 1226.
45 Correspondance, page 1230.
46 Correspondance, page 1233 et suivante.
47 Cité d'après Hildegard Brenner: «Die Kunstpolitik des Nationalsozialismus», Reinbek/Hambourg, 1963, page 182.
48 Idem, page 40.
49 Correspondance, page 1241.
50 Klaus Mann: «Der Wendepunkt. Ein Lebensbericht», Reinbek/Hambourg 1985, page 286.
51 Correspondance, page 1240.
52 Correspondance, page 1282.
53 Cité d'après: Werckmeister 1987, page 52.
54 Idem.

Les dimensions données dans les légendes sont celles des tableaux sans le fond et sans le cadre. La numérotation correspond à celle de Klee dans le catalogue de ses œuvres.

Nous remercions les collectionneurs cités dans les légendes de nous avoir autorisés à reproduire les œuvres et d'avoir mis à notre disposition les documents nécessaires. Les photos pour le frontispice et la reproduction page 45 sont l'œuvre de Colorphoto Hans Hinz, page 62 Rheinisches Bildarchiv. La reproduction page 92 provient du livre «Reichsautobahn» des éditions Jonas, à qui nous sommes reconnaissants de nous avoir fourni le négatif. Les photos des pages 94 et 95 et du dos de couverture sont dans les archives de Félix Klee à Berne que nous remercions pour le soutien qu'il nous a apporté.